咲ききれなかった花

ハルモニたちの終わらない美術の時間

イ・ギョンシン 著
梁澄子 訳　北原みのり 解説

ajuma books

咲ききれなかった花

ハルモニたちの終わらない美術の時間

イ・ギョンシン著

咲ききれなかった花
イ・ギョンシン著

못다 핀 꽃
By
이경신

This Japanese edition was published by Ajuma company, Japan in 2021
by arrangement with Humanist Publishing Group Inc.

ハルモニの絵提供
ナヌムの家・日本軍「慰安婦」歴史館

協力
石田凌太　高廷林

本文・装丁
松田行正＋梶原結実

校正
鷗来堂

編集
小田明美

日本の読者の皆さまへ

『咲ききれなかった花』が日本で出版されて、とてもうれしい。ところが私は、序文の最初の一文を書いた後、ただただそれを見つめてばかりいた。願っていたことが目前に迫ってきているのに言いたいことが多すぎてかえって言葉が出ない時のように、何からどう始めればいいのか気持ちが雑然としている。韓国と日本は地理的には近いのに、いまだに解けない歴史的な問題を抱えているからだと思う。

1991年8月14日、金学順《キムハクスン》ハルモニが日本軍「慰安婦」被害者であることを明らかにし、被害者たちの証言が続くと、国中が衝撃を受けた。その後の日本軍「慰安婦」運動の成長は被害者たちの積極的な活動につながり、この問題はメディアでメインニュースとして扱われるようになった。本書で紹介する絵も、日本軍「慰安婦」問題の実相を知らせる素材としてさまざまなメディアだけでなく、教科書でも紹介された。従って、韓国人であれば誰でも日本軍「慰安婦」問題を知っている。

2018年に韓国で本書が出版された時、読者たちから一番たくさん聞いた感想は、「慰安婦」問題を歴史的な問題としてだけ見ていたという反省だった。ある読者は、定期的に出てくる歴史問題としか考えていなかったと言い、またある読者は日本軍「慰安婦」の実態があまりにもむごいので目を背けていたと告白した。しかし本書を読んで、被害者という名の影に隠されたあどけない顔が見えてきて、生涯にわたり自身の人生から逃げ回るしかなかった人生を理解することができた、自身の苦痛を正面から見すえて絵を完成させていくハルモニたちの勇気を応援したくなったと語った。多くの人々が日本軍「慰安婦」被害者が描いた絵のことは知っていても、彼女たちが自らの傷を表現するまでに再びなめなければならなかった苦痛や、その苦痛に耐え葛藤しながら絵を誕生させるまでに注ぎ込んだ情熱については知らなかったのだと思う。

この点が、本書のもう一つの側面だ。本書は、日本軍「慰安婦」問題という歴史を語るものではなく、その後の傷をどう癒やすのかに関する話である。暴力がやんだからといって終わりではないことを、私たちはよく知っている。とりわけ性暴力はなおさらだ。ところかまわずこみ上げる鬱憤《うっぷん》や屈辱感、自己嫌悪、自暴自棄によって無気力に生きていく被害者たち……。そんな人生から抜け出して最後まで情熱を出し尽くしたハルモニたちの姿に、多くの人々が感動した。

「17歳の金学順は、その後どうやって生きていったのだろうか」

やっと20代に入ったばかりの頃、私よりも若い金学順が体験した恐ろしい集団性暴力のことを初めて知った時に思ったことだ。ハルモニたちの人生があまりにも痛ましくて、何をすればいいのかわからないまま、ただ彼女たちを近くで見守りたいと思った。

美術を学んでいた私には、絵を描くこと以外にできることがないという単純な理由でハルモニたちとの美術の時間が始まり、右往左往する中でたくさんのことが起きた。初めて筆を執って絵を描くハルモニたちが自らの物語を描き出すようになってから、美術の時間の意義は私の予想をはるかに超えるものになっていった。実は私は、ハルモニたちが自身の話を絵で表現できなかったとしても、かまわなかったと思う。ハルモニたちと共に絵を描く時間そのものが大切だったからだ。一人の人間が感じ得る苦痛の限界を経験したハルモニたちが、生まれて初めて絵を描きながら、笑い、はしゃぎ、少女に戻っているようなその瞬間、瞬間がよかった。だから、美術の先生としてそれらの瞬間に最善を尽くしたのだが、結果を出さなければならないという焦りはなかった。おそらく今よりも純粋な青春時代だったからかもしれない。

それから20数年が過ぎ、過去を回想しながら本書を書き始めた。その間に私はもう青春ではない中年に達していた。この本を書きながら、あの頃とは違う角度からハルモニたちの切ない人生を理解することができたように思う。また、当時は私がハルモニたちに美術を指導したと思っていたが、逆にハルモニたちが私に人生を教えてくれたということに遅ればせながら気づくこともできた。

ハルモニたちの冗談や笑いが恋しい。私は、ハルモニたちとの美術の時間をきちんと締めくくくるために、ハルモニたちと共に過ごした時間を、ハルモニたちが絵を描いた過程を、残すことにしたのだ。

私は本書『咲ききれなかった花』が、傷ついた人々にどう生きていけばいいかを示す羅針盤のような教科書になることを願う。傷だらけの人生をもう一度心躍らせた情熱が、そこに込められているからだ。そのドキドキと高鳴る情熱が日本語に翻訳されて読者の心に届くことを願っている。日本の読者が、ハルモニたちの人生を知ることで、自身と社会、そして時代を前向きに変化させる勇気に出会ってくれるよう願う。

私は、日本によりよい社会を希求する立派な市民社会があることをよく知っている。また、この問題が日韓両国の市民たちの連帯によって国際的な成果をつくり出しながら現在に至ったこともよく知っている。しかし、いまだ問題は解決されておらず、その責任が戦後世代である私たちに残され、時代の課題になっている。この30年間、政治家たちには成し遂げることができなかった。政治ができないならば、私たちが果たさなければならない。私がおり、私たちがおり、社会と国とこの世界があるように、まず私が変わることから始めればできると思う。私たちの出会いが、両国の絡まった糸を解きほぐす端緒に発展することを願う。もしも私にも小さな役割が与えられるならば、喜んで参加したいと思う。

この本が出るまで、日本でハルモニたちのために長年にわたり努力しながら翻訳を引き受けてくださった梁澄子《ヤンチンジャ》さん、日本の性平等のために努力してこられた出版社代表の北原みのりさんに感謝する。そして、北原さんが立ち上げた新しい出版社の最初の本に選んでいただいたことを、限りなく光栄に思う。その他、本書を出版するために尽力くださった皆さまと、本書の翻訳出版のためのクラウドファンディングに参加してくださった日本の市民の皆さまに心から感謝する。

これを書いている今、日本軍「慰安婦」被害者は15名が生存されているだけとなった。日本軍「慰安婦」被害者ハルモニたちの心と魂が平穏でいられるようにと祈る。最後に、日本の読者の皆さんに、姜徳景《カンドッキョン》ハルモニが絵を描きながら金順徳《キムスンドク》ハルモニに言った言葉を伝えることで、この文を締めくくりたいと思う。

「姉さん、絵を描くと、気持ちが少し楽になるの」

2021年5月　韓国にて

イ・ギョンシン

はじめに

本書は、1993年から1997年までの間、日本軍性奴隷制被害者ハルモニたちと共に過ごした美術の時間の物語だ。ハルモニたちの絵の中の、たどたどしい線で描かれた花や、顔を手で覆って泣いている少女、ゆがんだ日本軍人たちの姿は、まるで子どもが描いた絵のように見えるかもしれない。しかし、そこに秘められた魂の震えとひとたび対面したら、容易には目を背けることができない。

私は、美術の先生としてハルモニたちと出会った。生まれて初めて筆を握ったハルモニたちも、美術の先生になった私も、「新米」であることに変わりはなかったから近道はなかったが、幸い美術の時間は日常のささやかな楽しみとなっていった。そして、ハルモニたちの癒やされない傷を目撃した時から、私はハルモニたちが絵を描くことを通して自身の傷と向き合ってくれることを願うようになった。しかしそれは、絵を趣味として楽しんでいたハルモニたちにとって、また別の苦しみとなった。その頃私は無謀にも、ハルモニたちのはかり知れない苦痛の底にあるため息と涙をほじくり返してしまったのだ。

日本軍による集団的性暴力の被害から心理的に回復することは、自身との孤独で厳しい闘いだ。不条理の極地とも言える経験をしたハルモニたちは、戸惑いや恐れをはねのけて、長い間秘めてきた傷を紙の上に取り出し始めた。その頃からだったろうか。ハルモニたちは傷を吐き出して空いた空間に、何かを代わりに埋め込み始めているように見えた。それは、人生で初めて経験するときめき、興奮、満足感のような小さな希望たちだった。しかし言うまでもなく、苦痛を絵で描いたからといって傷を負う前に戻ることはできない。それでも私は、絵を描くことが、避けていた苦痛と対面し耐えうる力を育てる一つの方途になったことを、ハルモニたちとの美術の時間を通して確認することができた。ハルモニたちは、自身の傷を自ら治癒し、成長した者だけが手にできる自由を得たかのように明るく輝いていた。

私は本書を通して、傷だらけだったハルモニたちが日本軍性奴隷制被害者という苦痛を克服して新たな人生に挑戦し、人生を全うする最後の瞬間まで情熱を燃やし続けた一瞬一瞬を伝えたい。本書を手に取ってくださった方々が、ハルモニたちの勇気と最後の息づかいを活き活きと感じ取ってくださることを、ハルモニたちの苦痛を描いた絵が読者の人生を慰め、情熱をかき立ててくれることを願うばかりだ。

20年以上前の話を今になって書くことになったきっかけは、2015年に朴槿恵《パククネ》政権によって発表された「慰安婦」問題に関する「日韓合意」だった。これを聞いて堪えきれない怒りがこみ上げた。そんな気持ちで始めた作業ではあったが、ハルモニたちの絵を引っ張り出して文と絵を描き加える過程で、ハルモニたちと過ごした時間がよみがえり、うれしくもあり、泣きそうになったりもした。

そして、これまで感謝の気持ちを伝えることができなかった人々のことが思い浮かんだ。「『咲ききれなかった花』絵の会」のキム・スッチンさん、チェ・ウンジョンさん、イ・ジュヒさん、チャン・ユンジョンさん、美術授業に関心を持ってくださったナヌムの家と韓国挺身《ていしん》隊問題対策協議会の関係者の皆さま、日本で展示会を開催してくださった大韓民国国会挺身隊対策議員の会と旧日本軍による性的被害女性を支える会代表の宮西いづみさん他日本の諸団体の皆さま、画家のキム・ゴニさんをはじめとする民族美術協議会の方々、ならびに韓国の諸団体、ドイツ・ベルリンの展示会を企画してくださったキム・ジェヒ先生、遠く米国から応援してくださったキム・ビョンムン先生をはじめ、ハルモニの絵を紹介できるようお力添えくださった数多くの方々に感謝したい。また、長い間私の心の中に秘めていたハルモニたちとの感動と希望の時間を一冊の本にしてくれた、ヒューマニスト出版グループにも感謝する。

何と言っても、最もありがたい方たちは、姜徳景《カンドッキョン》、金順徳《キムスンドク》、李容女《イヨンニョ》、李容洙《イヨンス》の各ハルモニたちだ。

とりわけ今は亡き姜徳景ハルモニに深い感謝の気持ちを伝えたい。

ハルモニたちと共に過ごした美術の時間は、姜ハルモニの情熱に支えられて一歩一歩、前に進むことができた。

最後に、姜徳景、金順徳、李容女ハルモニをはじめ亡くなったすべての日本軍性奴隷制被害者ハルモニたちのご冥福をお祈りする。

2021年5月

イ・ギョンシン

咲ききれなかった花　目次

注：これまで韓国社会では日本軍性奴隷制問題を挺身隊問題、従軍慰安婦問題、慰安婦問題、日本軍「慰安婦」問題等と称してきた。しかし、この問題が日本軍の制度的・組織的犯罪であることを明確にするために、国際機関および国内外の社会団体を中心に「日本軍性奴隷制問題」という用語を公式に使用するようになった。本書でも、このような立場に従って、日本軍性奴隷制問題、日本軍性奴隷制被害者と表記した。ただし、日本では「慰安婦」という用語を使用しているため、日本語を韓国語にする場合のみ、「慰安婦」と表記した。

訳注：翻訳はすべて原文にそって日本軍性奴隷、日本軍「慰安婦」などと訳出した。

偶然

私がハルモニたちに初めて会ったのは1993年2月中旬。美大を卒業して間もないころのことだった。そして、その年頃の若者たちが皆そうであるように、私も人生の意味を求めて彷徨《ほうこう》していた。

ハルモニたちに出会う一週間前、私はアトリエで夜通し絵を描いていた。間近に迫った展示会のことで焦っていて、数日間、昼夜を忘れて時を過ごした。薄暗い蛍

光灯の下でキャンバスに絵の具を載せていたが、疲れた体を少し休めようとコーヒーを淹れるための湯を沸かすことにした。ストーブの上のやかんから立ち上る熱い湯気が顔にあたった時、疲れがどっと押し寄せてきた。いつの間にか夜が明けて、ラジオが新しい朝を知らせていた。ソファに深く身を埋めた。番組MCの歌手ユ・ヨルの柔らかな中低音がコーヒーの香りと共に寒い冬の朝を慰めてくれた。熱いコーヒーを一口飲むと、体が温まり、すぐに朦朧《もうろう》としてきた。カフェインと眠気の対決を見守っていた私は、ほどなく眠気の勝利を認めて首を傾けていた。

その時だった。日本軍性奴隷制被害者たちが集まって暮らすナヌムの家(1)でボランティアを募集しているという声がラジオから流れてきたのは。厳しい生活の中でハングルを学べなかった方たちにハングルを教える先生を探しているというのだ。

その言葉は、うたた寝をしていた私を目覚めさせ、2年前の8月15日の朝へと引き戻した。その日、私はいつものように新聞を読みながら学校の階段を上っていた。

そしてそこで一人の女性を見た。自身が日本軍性奴隷制被害者であることを初めて証言した金学順《キムハクスン》(2)ハルモニだった。挺対協(3)主催の記者会見を扱ったその記事には、それまで私が聞いたこともない話が載っていた。金学順ハルモニは、17歳［訳注：韓国では現在でも数え年を使うため、本書に出てくる年齢も数え年である］の時に家族の生計のため中国に行き、日本軍に捕まって連れて行かれ

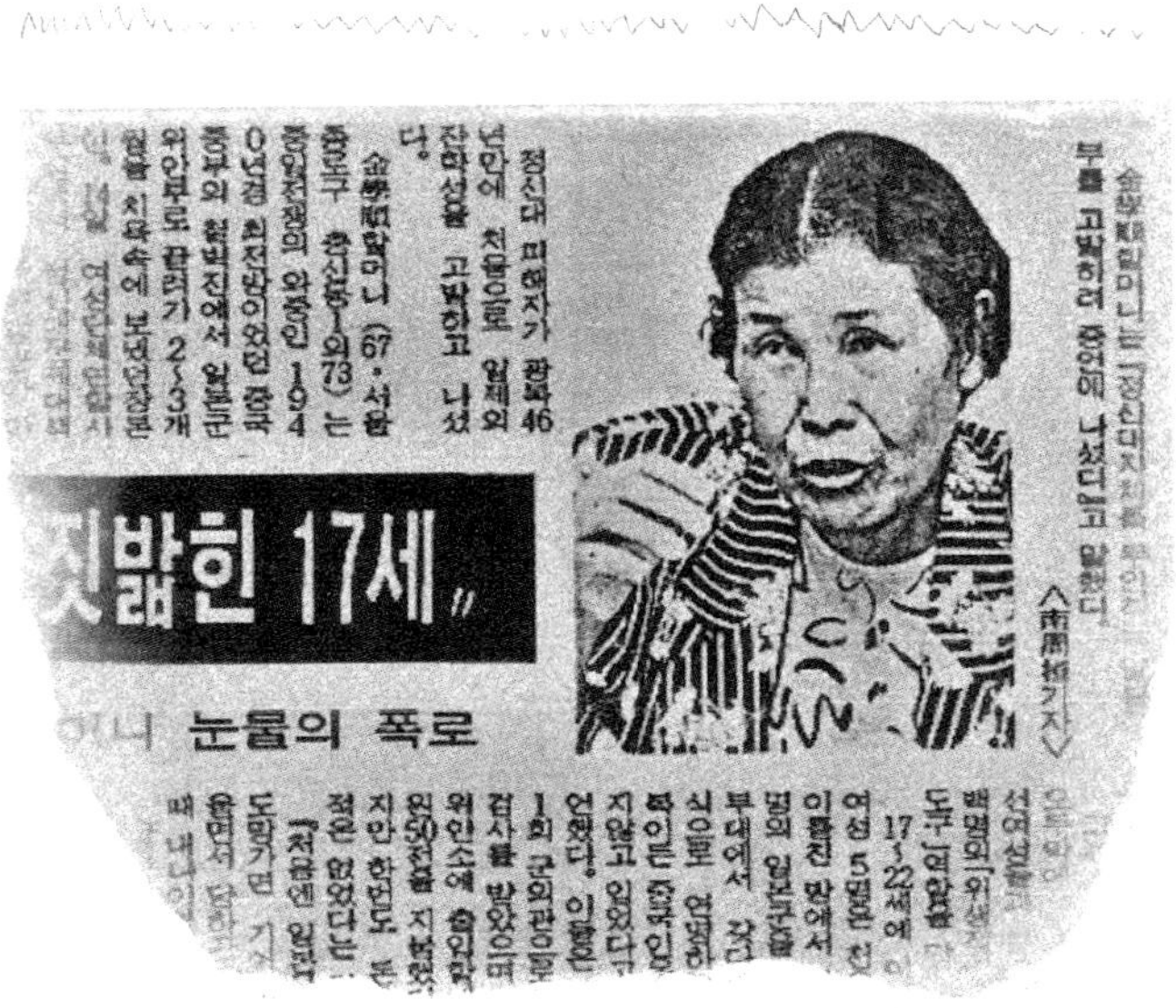

짓밟힌 17세"

눈물의 폭로

정신대 피해자가 광복46
년만에 처음으로 일제의
잔학상을 고발하고 나섰
다.

金學順할머니(67·서울
종로구 충신동1의73)는

〈南周鉉기자〉

1회 군의관으로
검사를 받았으며
위안소에

たという。そして日本の軍人たちに性暴力を受け続けたという信じ難い話が書かれていた。当時、日本軍性奴隷制被害者を呼ぶときに使われていた「慰安婦」という言葉も、生まれて初めて聞く単語だった。そして、その話が金学順ハルモニ一人だけの話ではなく、統計を出すことができないほど大勢の女性が、同じように連れて行かれたという推測には、さらに驚かされた。私は、新聞に出ていた写真のハルモニをじっと見つめた。白黒の点で新聞紙上に織りなされる金学順ハルモニの顔は端整で、美しく年をとった女性の姿だった。その瞳からは、人目を避けて苦しく生きてきた人生がうかがわれた。日本軍性奴隷制被害者だと証言する瞬間から受けるであろう関心や臆測をも覚悟して、世の中に向けて毅然としたまなざしを投げかけたハルモニの勇気に、私は感動した。しかし、時間の流れと共に、忙しい日常に追われて、そのことを忘れていた。

そうこうするうちに私は美大を卒業し、大学という囲いから抜け出して、アルバイトで稼いだお金で展示をし、生活をするようになっていた。ゴッホのような貧しい芸術家の人生を選択した20代だったが、未来に対する期待と希望があったから耐えることができた。同じような境遇にある友人たちと励まし合いながら、それなりに充実した暮らしを築きつつあったが、所属する場がないせいか、空虚な気持ちも抱えていた。そんな私を、あの日のラジオが揺さぶり起こしたのだ。その声を聞いて、2年前に新聞で見た金学順ハルモニのまなざしがよみがえり、そのまなざしに捕らえられた私は、ラジオから流れてくる声を無視することができなかった。金学順ハルモニのような日本軍性奴隷制被害者ハルモニたちが私をつかまえて、大変なんだと、助けてほしいと語りかけているような気がした。気持ちがざわついて、私はとりあえず電話番号を書き留めた。そして数日、受話器を持って迷った。

今思うと、卒業後に私が抱えていた空虚感は実はとても大きかったのだと思う。1987年から1991年まで大学生活を送った私は、自分でこの社会に両足を降ろして行動する人間として生きなければならないという無言の圧力を受けていた。ところが気がつくと、ろくに何も成し遂げられないまま表舞台から引きずり下ろされて地下のアトリエに追いやられていた。大学は卒業したが無職だったし、絵を描き続けるためには他の仕事をして稼いで、絵を描くのに必要な経費づくりをしなければならなかった。何らの予行演習もなしに世の中から引き離されて、地下室の隅で実体のない影と闘っているような気分だった。社会人として根を下ろすどころか、ろくに立っていることもできない「画家人生」のスタートラインで、私は誰かにたたかれでもしたかのようにいじけていた。一方で、大学を卒業して間もない新米社会人で、この社会に役立つ一員として存在したいという浮き足だった気持ちが習慣のように残っていた時でもある。もしかしたら、何かに飛び込む口実を探していたのかもしれない。

人生の意味を求めてさまよっていた私は、日本軍性奴隷制被害者ハルモニたちと出会ったことこそ、人生の本質に対面することだと、自らに意味づけしようとした。そして、自分の心臓のドキドキという音を聞きながら受話器を取って電話番号を押したのだった。

まなざし

春をねたむかのように、2月の最後の寒波が襲っていた。グルグルにマフラーを巻きつけた首回りの隙間から、冷たい風が入り込んできた。バスを降りて住所が書かれたメモを握りしめ、西橋洞《ソギョドン》の住宅街に入った。寒さのせいか通りは閑散としていた。どの家の門も固く閉ざされ、遠くから犬の鳴き声が聞こえるだけで、人影は見えなかった。道1本隔てたところに、つい最近まで通っていた学校があるのに、チョンギワガソリンスタンド下のこちらの道には一度も来たことがなかった。私は、見知らぬ道を一人で迷いながら歩くことには慣れていなかった。これまではどんなことでも、いつも友人たちと相談しながら一緒にやっていたからだ。しかし、大学を卒業して、各自が自分の道を見つけてバラバラになった後、私は一人とり残された子どものように孤独だった。そして本当に幼い子どもにでもなったかのように、メモに書かれた家を見つけられず迷子になっていた。おそらくあの時に私が感じた感情は、初めて行った街に対する戸惑いというよりも、大人としての独立が内包する宿命的な寂しさと不安だったのではないかと思う。

路地の中ほどをすぎた時、小さな2階建ての家が目に留まった。予想通り、メモに書かれたその家だった。深呼吸をしてインターホンを押した。黒に近い濃い緑色の門扉がチーンという強烈な電子音を立ててガタンと開いた。その硬い音に、ただでさえ緊張していた私の身体はすっかり固まってしまった。私はライオンの頭の装飾物にぶら下がる丸い取っ手をつかんで、未だ見ぬ世界へとつながる緑色の門扉をそっと押した。そしてどんなことが起きるのか予想もできないままハルモニたちに出会うことになった。

さっぱりした性格で豪快な李容女《イヨンニョ》ハルモニ、若い頃には本当に美人だっただろうと思わせるすらっとした金順徳《キムスンドク》ハルモニ、ちょっと無愛想に見えるけど面白い冗談を言うのが好きな長身の朴頭理《パクトゥリ》ハルモニ、温和な笑顔をたたえた朴玉蓮《パクオンリョン》ハルモニ、おとなしくて清潔感のある孫判任《ソンパニム》ハルモニ、静かな物腰でひときわ口数の少ない姜徳景《カンドッキョン》ハルモニが集まっていた。

ハルモニたちとあいさつをし、柄にもなく天候のことなど話した後で、健康状態はどうかと尋ねた。思ったよりも明るいハルモニたちの初対面の印象がとても新鮮だった。それまでの私が、深い傷を抱える人はいつも鬱屈《うっくつ》しているに違いないという偏見にとらわれていたことに気

づかされた。日本軍の性奴隷という残酷な経験をした方たちならばなおさらだろうと想像していたのだ。ハルモニたちの人生について、たった数日考えただけの私の想像力など、その程度のものだった。活字を通して知った日本軍性奴隷制被害者の人生を勝手に推測して、思い切りハルモニたちに同情し心配していたのだ。

一方、ハルモニたちは1992年10月にナヌムの家ができて以来四ヵ月の間に多くの訪問客を迎えてきたせいか、見知らぬ人と会うことにそれなりに慣れている様子だった。まめな金順徳ハルモニが客をもてなすのだと言って、台所と居間をせわしなく行ったり来たりしていた。結局、私がハルモニたちにもてなされる格好になり、役割がひっくり返った居心地の悪さを感じていた。私は、落ち着かない中で自分でもわからないうちにハルモニたちの中に何かをみつけ出そうとしていた。おそらく初めて新聞紙上で見た金学順ハルモニのまなざしのような、強烈な何かを探していたのではないかと思う。しかし、ハルモニたちの姿は金学順ハルモニとはずいぶんと違っていた。過去の傷はどこかに隠しているのか、平穏に日常を生きる平凡なおばあさんたちに見えた。

そんなことを思っている時に、一人のまなざしにくぎ付けになった。姜徳景ハルモニだった。姜ハルモニは、片方の膝に肩をもたれかけさせて小さく背中を丸めて座っていた。明るくて大きな褐色の瞳には、少し緊張し驚いたような気色が漂っていた。そのせいか、この世に存在していることを申しわけなく思っているような印象を与えた。顔を少し右に傾けて、笑っているようないないようなかすかな笑みをたたえていたが、なぜか瞳に過去の秘密を閉じ込めているように見えた。姜ハルモニは、新しく来たハングルの先生を探るように見ながら、緊張感を瞳に漂わせて用心深く距離を置いていた。そして、自分に向けられた視線を感じたのか、私の視線を正面から遮断してきた。私はあわてて大急ぎで視線をそらし、意味もなく部屋の中を眺めまわした。姜ハルモニは確かに線を引いていた。

ぎこちない時間が流れた。数日間悩んだ末に、私なりにハルモニたちを少しでも助けることができればと思って来たのだが、いざハルモニたちに会ったら二言三言語りかけただけで、それ以上何を言えばいいのかわからなかった。ハルモニたちにどんな慰めの言葉をかければいいのかまったく見当がつかなかったのだ。用意してきた話題はあっという間に尽きて、居心地の悪い沈黙を埋めるために私は何か質問をつくり出そうと頭をせわしなく動かしていた。沈黙の時間が長引くにつれて顔がどんどん紅潮していくのがわかった。ハルモニたちのような高齢の方たちと接した経験が少なかった私は、話のきっかけを見つけ出すことができずにいた。まして普通の高齢者ではなく傷を抱えた方たちだと思うと、どう接すればいいのかわからず、ますます緊張した。苦痛の中で生きてきたハルモニたちの人生を思うと、その前で笑うことすら不遜に思えるほど、私一人で重い気持ちになっていた。想像していたのとは違って、実際に会ってみると、この方たちは私の手に負えそうになかった。出会いの期待感はあっという間に小さな後悔に変わり、私はサイズの合わない服を着ているような居心地の悪さを感じていた。いろいろな意味づけをしてここまで来たけど、言葉一つかけることもろくにできない自分にがっかりして、果たしてハングルを教えることができるのだろうかと不安になった。自分の忍耐力がどこまで続くのかも疑わしかった。誰かを助けたいという少女のような純真さと漠然とした感受性を超える責任感が、果たして私にあるのか、改めて見つめ直す必要を感じたのだ。一口に言って、自ら決めたことを目の前にして、おずおずと後ずさりしようとしていたのである。

この出会いの後、ハルモニたちのことが頭から離れなくなったが、時間がたてばたつほど自信がなくなっていった。ハングルの先生は他にもなり手がいるだろうから、必ずしも私でなくてもいいだろうという口実が浮かんだ。しかし、ハングルの先生をすると言って訪ねてあいさつまでしておいて、今になってできないと言うのはハルモニたちに申しわけなく、自分自身に対しても恥ずかしいことだから、自分にできることでもう少し意味のあることはないだろうかと考えるようになった。そして、ハルモニたちが絵を描いてみるというのはどうだろう、とある日ふと浮かんだのである。絵を媒介にしてハルモニたちに会うならば、重い気持ちを振り払って続けることができるような気がした。今思い返すとおかしなことだが、ハルモニたちとの美術の時間は、私自身の緊張感を和らげる方便として始まったのだった。

震える手

早春のある日、新しい季節の訪れに合わせて、ハルモニたちとの最初の美術の時間を持った。私なりに授業の準備をし、必要な道具もそろえ、美術用品を両手いっぱいに抱えて西橋洞《ソギョドン》に向かった。頭の中はこれからの美術授業の構想でいっぱいだった。透明な陽の光が差し込む路地は、あの2月の寒い路地とはまったく違う空間のように感じられた。おそらく新しい関係に対する期待に胸を膨らませていたせいだと思う。ナヌムの家の扉を力強く開けて中に入った。ところが、家の中は静まりかえっている。美術の時間のことなんか全然知らないといった調子で、ハルモニたちは各自の部屋から出て来ようともしなかった。ナヌムの家に暮らす七人中、少なくとも五人くらいは授業に参加すると予想していたのだが、参加すると言っていたハルモニたちも、まだ心の準備ができていない様子だった。

「この年で絵を描くなんて」

「年取ってもうすぐ死ぬって時に結構なことだねぇ」

「やめな、頭痛い」

口々にそんなことを言う。

突然のハングル授業に加えて美術の授業まで受けることが負担だったのだろう。それでも、一生懸命に美術道具を抱えてやって来た先生がかわいそうに見えたのか、しかたなさそうに金順徳《キムスンドク》ハルモニ、李容女《イヨンニョ》ハルモニ、姜徳景《カンドッキョン》ハルモニが出てきた。私たちは2階の居間に集まった。ぎこちない空気が流れた。冷気を溶かした日差しが窓ガラスを通して居間の中に柔らかく入り込み、ハルモニたちの銀色のパーマ頭の上を波打っていた。私は深呼吸をして、美術の道具を一つずつ配った。鉛筆、消しゴム、色鉛筆……。色とりどりの華やかな道具たちがお膳の上に並ぶ。

私は、ハルモニたちの前に並べられた美術道具を見ながら、ハルモニたちと絵との出会いに改めて新鮮な期待をかけた。そんな私とは違って、ハルモニたちの表情は窓の外のまだ肌寒い初春の天気のようによそよそしかった。美術道具を受け取ったハルモニたちは、初めて手にした物に対する喜びや好奇心をあらわすのではなく、むしろ気に入らない気持ちを隠すこともなく表情にたたえていた。一口に言って、全員が不満げだった。私は慌てた。一週間ほど悩んだ末に完璧な結論を導き出したと思い、ハルモニたちと美術の時間を持つことで関係を続けたいと願ってきたのだが、その期待が無残に踏みにじられた気分だった。考えてみると、私は美術の時間の主体であるハルモニたちの意思については考えもせず、数日間、一人で自分勝手に想像の翼を広げていたのだった。

その場に出てきた三人は、訪れた客人をもてなさなそうというやさしい気持ちを持った方たちだった。そんな方たちでも、孫くらいの年頃の美術の先生が自分たちに一体何をさせるつもりなのか問いただしたいという様子で座っていた。疑心に満ちた六つの瞳が私に注がれていた。今日一回の授業で美術の時間の命運が決まるかもしれない。私は不安な気持ちをハルモニたちに読み取られまいと、何食わぬ顔をして最初の授業を始めた。

まず白い画用紙を広げてどんな気持ちがするかと尋ねた。誰かが「怖い」と答えた。

「そうですよね？　真っ白な画用紙を初めて見るとほとんどの人がおじけづくんです。小さな画用紙が大きな運動場みたいに大きく見えますよね？　それじゃあ、その怖さをなくすために白い画用紙をグチャグチャにしちゃいましょうか？」

ハルモニたちは戸惑っている様子だった。

「太い線、細い線、丸、三角、四角、何でもいいです。子どもが落書きするようなつもりでやってみてください」

ハルモニたちが筆を執りそっと線を描く。画用紙に描かれた線も、ハルモニたち同様、恥ずかしがっているように見えた。

「じゃあ、今度は線をもっと速く引いてみましょうか。色を塗ってもいいし、点をブッブッ打ってもいいですよ」

ハルモニたちは他の人の画用紙をのぞき見しながら、さっきよりは速く互いにまねし合っていた。

「ああ、もったいない、もったいない」

金順徳ハルモニは絵を描く間中、紙がもったいないと嘆いた。排紙の一枚も大切にする時代を生きてきた方たちだから余計にもったいなく思ったのだろう。美術の先生である私の意図は、まずハルモニたちが画用紙一枚を自由にグチャグチャにしてみることだった。ところがハルモニたちにとってはわざとグチャグチャにすることも難しいことだった。

「今度はサインをつくってみましょう。絵を完成させたら日付を入れて、画家がサインをしますよね。とりあえず鉛筆で名前を書いてみましょうか」

ハルモニたちが名前を書き始めた。ところが、3文字の名前を書くのにかなりの時間がかかる。初めはハルモニたちが高齢なので手が震えて書けないのだと思ったが、ほどなく私は、姜徳景ハルモニ以外の方たちは自分の名前も容易には書けないのだということに気がついた。闊達な李容女ハルモニが力のない声でハングルがうまく書けないとつぶやいた。その時になってやっと、そもそも私はハルモニたちにハングルを教えるために

ナヌムの家を訪ねたのだという事実を思い出した。

「これからは絵を描くたびに名前を書くので心配しないでください。しょっちゅう書いているうちに、すぐに上手に書けるようになりますよ」

ハルモニたちは、自分専用の美術道具を持つことも、白い画用紙に線を描くことも、生まれて初めての経験だから戸惑っていたが、教える側の私の立場もハルモニたちとさして変わらなかった。ハルモニたちが描いた画用紙を見て、絵を描くためにはとりあえず線引きのような基礎的なデッサンから始めなければならないと思った。私は、本格的な授業に入るため、周りに見える最もシンプルな物を選んでお膳の上に置いた。

「さあ、では絵を描いてみましょうか。ここに置いたコップを描いてみましょう」

絵を描こうとした姜徳景ハルモニが老眼鏡を取りに立った。すると他のハルモニたちも「足がしびれた、私も眼鏡、持ってこなきゃ」「水飲みたい」などと言いながら立ち上がった。そう言って立ち上がる時のしんどそうな様子から、ハルモニたちの年齢を改めて思った。そして、私が思っていた以上に大変なことを始めたのだということ、ハルモニたちの速度に合わせて私が変わらなければならないのだということを感じた。

授業を再開した。同じ対象を初めは説明なしでそのまま描き、次はしばらく観察した後で描いてみる。そして二つの絵を比べて見る。二つの絵がずいぶんと違うということを感じたハル

モニたちが関心を示し始めた。よく観察すれば上手に絵が描けるという説明に、ハルモニたちは口ではブツブツ言いながらも、先生の言うことをよくきく小学生のように一生懸命に描き始めた。

「まったくもう、何これ」

「やぁだ、涙が出ちゃう」

ハルモニたちは対象を穴の開くほどじっと見つめて、真面目に描き始めた。コップ、湯飲み、瓶……。時間の経過と共にハルモニたちの集中度が上がっていく。絵を描いた後は、他の人の絵を見て互いに評価し合った。

「何それ、何を描いたの?」

「笑っちゃう」

「瓶がどうして曲がってるの?」

ハルモニたちはお互いをからかって少女のようにケラケラと笑いころげた。まるでアニメに登場するやさしい魔法使いがステッキを持ってあらわれ、金粉をまいて魔法をかけたみたいだった。魔法使いの呪文に、疑心でいっぱいだったハルモニたちの目があっという間にやさしい半月形の目に変わった。しわの寄った顔に思春期の少女の明るい笑顔が重なった。私たちはみんなで過去に、ハルモニたちが傷つく前の小学校の楽しい美術の時間に帰っていった。

その瞬間、固く結ばれていた結び目が少し解かれたような気がした。少し前まで絶望的だった状況があっという間に変わって希望の空気が居間にあふれていた。その時やっと気持ちが落ち着いた。何を、どうすべきか、ぼんやりとながら見える気がしてきたのだ。実は美術の授業をすると決めて以来、ずっと心配していた。高齢で傷ついた方たちに授業をするのは初めてだったので、授業をどういう方向でおこなうべきかずっと悩んでいたのだ。でも、ハルモニたちが笑うのを見て、どうするべきかヒントを得ることができた。学校にろくに通ったこともない年老いた少女たちに学校に通っているかのような平凡な日常をまず味わってもらうこと、もう一度学生になっておしゃべりしながら絵を描く喜びを感じてもらうことが授業の目標になった。

最初の授業を通して、私と生徒のハルモニたちは互いに授業に対する心の負担を少し軽くして、ほんの少し自然な関係になった。授業に参加するハルモニが一人でもいれば楽しく絵を描き、絵を描きたくない日にはハルモニとおいしいものをつくって食べて遊んで帰ってきた。

そんなふうに美術の時間は亀の歩みでゆっくりと、しかし休むことなく続けられた。

お試し期間

初めの数ヵ月は、それこそハルモニたちとのお試し期間だった。ハルモニたちが美術の先生を信頼できるかどうかを決定する重要な時間だったのである。幸い私は初日から間抜けな姿を見せてハルモニたちの同情票を得たようだった。しかし、ハルモニたちは授業があるということを忘れてしまうことがよくあった。そのたびに美術の先生が絵を描こうとも言えずにただ待つ姿を何度か見たハルモニたちは、かわいそうに思ったのか次からは美術の時間を忘れないようにしようと努力してくれた。時には、私がハルモニたちのために何かしたくて来ているのではなく、ハルモニたちが私に同情して美術の時間に参加してくれているような気分になることもあった。理由はともあれ、幸い美術の時間は徐々に定着していった。

美術の時間の初期の目標は、基本的なデッサン力を養い周辺の環境に視覚的な関心を持つようにすることだった。デッサンの対象も、周辺でよく見る物や人物を選んだ。ハルモニたちのデッサン力がアップしなければ何かを表現することは難しいと思ったからだ。私は、ハルモニたちの観察力と表現力を高めるためささいなことから始め、さまざまな方法を駆使した。

ある日、ナヌムの家に行くとハルモニたちが豆モヤシの根を取っていた。私はそれを1束だけもらってガラスのコップに入れて陽のよく入る居間に置いた。「私が次回来るまで水をよく換えてくださいね」と宿題を出すと、次の時間には「豆モヤシは食べるものだとばかり思ってたけど、こんなふうに緑の葉っぱが出るんだよ、知らなかったよ」と感動的な話をしてくれた。その日、私たちは新たに発見した豆モヤシの姿を描いた。

親指1本、花1輪のようにシンプルで、周りに普通に見られる物から描き始めたのだが、ハルモニたちにとっては決してやさしいことではなかった。集中力と観察力だけでなく忍耐力も発揮してまめに描き続けなければ実力はつかないし、意味なく思える無駄な線を無数に描かなければ一歩一歩前に進むこともできなかった。だから平均年齢70歳のハルモニたちがいつやめ

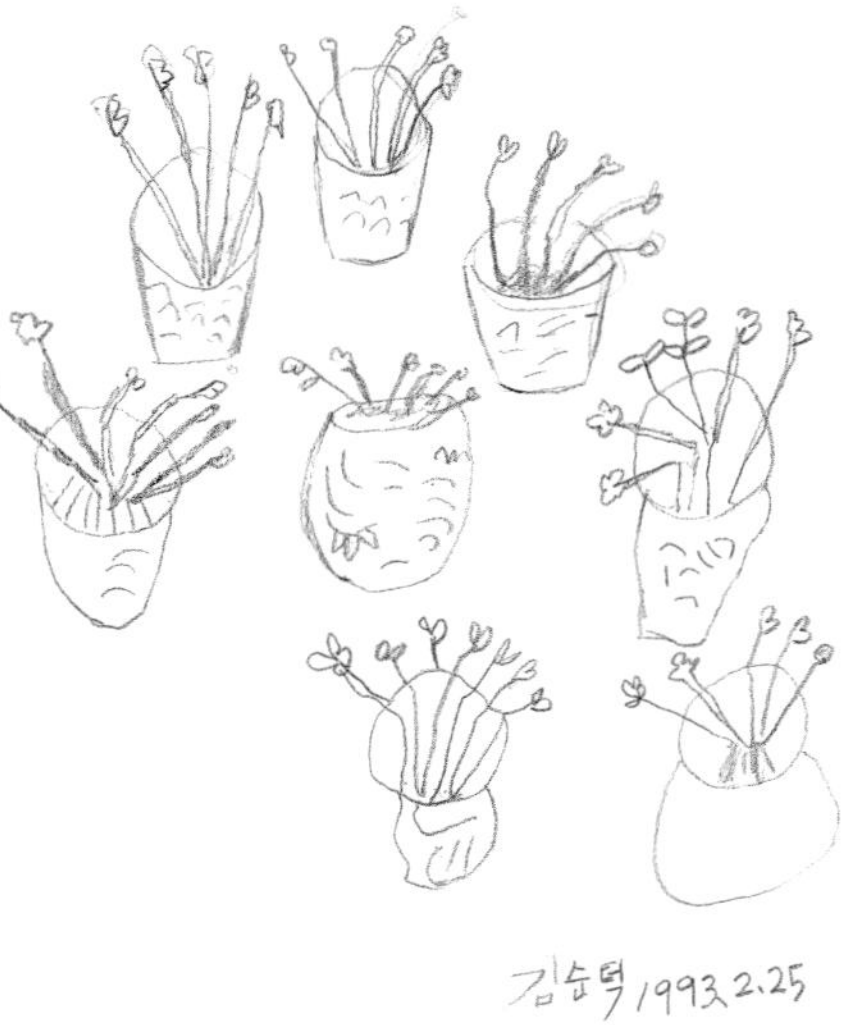

ると言い出してもおかしくないことだった。

予想どおり、最初の落伍者が出た。初めから出席率がよくなかった朴頭理《パクトゥリ》ハルモニが、ついに美術の時間に出るのをやめた。朴ハルモニは絵を描くことに興味を持っていなかったが、雰囲気にのまれてしかたなく何回か参加したのだった。しかし、ついに限界に達したのか、「あたしゃ描けないよ、あたしにこんなもの描けって言うな」と涙声で訴えた。ハルモニに申しわけないと思った。どんなことでも趣味になるまでには時間がかかるものだし、興味が失われないようにしなければならない。私はハルモニたちが飽きないように授業をもっと興味深いものにし、難易度にももっと気を遣わなければならなかったのだ。

自画像を描く日。私はハルモニたちに鏡を一つずつ渡した。何の授業か話す前から、鏡を持っただけでハルモニたちはもうにぎやかだった。

「しわしわで醜いねー。しわばっかりだよ」

「長生きしたねー。もう死ななきゃ」

ハルモニたちが鏡に映った自分の顔を見て言う。

「ハルモニ、三つの大うそというのをご存じですか」

「若い女が嫁に行きたくないって言うのと、商売人が損しちゃうって言うやつだろ！」

答えを当てたい李容女ハルモニが楽しそうに真っ先に答えた。

「じゃあ、もう一つは？」

「私たちみたいなばあさんたちが、早く死ななきゃって言うこと」

金順徳ハルモニが快活に答えた。だから今、ハルモニたちはうそを言っているのだと私が言うと、二人は「確かに」と言いながら笑った。何も言わずにただ聞いていた姜徳景ハルモニもふっと笑った。姜ハルモニはいまだに警戒心を解いていないのか、静かに聞くだけで対話に参加してくることはなかった。

「さあ、それでは授業を始めますよ。まず鏡を見て自分の顔の特徴をよく探ってください。目、鼻、口がどんな形をしているか」

ハルモニたちは、自分の顔を細かく観察することに慣れていないようで、バツが悪そうにしていた。

「次は最高にきれいに笑ってみましょうか」

私がこう言うと、居間に笑いが炸裂した。ハルモニたちが笑うと、鏡の中のハルモニたちも一緒に笑った。ハルモニたちは目尻に笑みをたたえたまま、自画像を描き始めた。

絵を描く時には、線を引く速度や鉛筆を抑える力加減、画面に占める絵の大きさなどにその人の性格があらわれる。何事にも真面目な姜徳景ハルモニは、きちょうめんに誠実な線を引く。金順徳ハルモニは、間違えるのを恐れる小心な面がある上に、高齢のため手が震えるので、線がぼやけて自信なげに揺れる。李容女ハルモニは、豪快で闊達な性格を反映して、大胆な線を引き画面を大きく活用する。絵は、ハルモニたちの性格とそっくりだった。

ところで、鏡を見ながら絵を描くという方法は、実はちょっと微妙だった。ハルモニたちは手鏡を持って絵を描いたので、ただでさえ力がなくて手が震える上に、鏡をのぞき込むたびに角度が違ってしまうのだ。自画像は、自分自身を省察するという意味で非常に重要な授業だった。だから写真を撮って、それを見ながら描くようにしたかったのだが、ハルモニたちは写真に撮られるのを嫌っているように思えたので、写真を撮ろうという一言がなかなか切り出せなかったのだ。証言をして集まって暮らし始めてから、ハルモニたちは個人的な暮らしを諦めた状態だった。それでも、自身の経験を証言することと、顔が知られることは別問題だった。日本軍の性奴

隷にされた事実は、死ぬまで隠し通したい恥ずかしいこととしてとらえられていたので、ハルモニたちは写真を撮られることにとても敏感に反応した。家族がいる場合にはなおさらだった。ところが意外にも、写真は私がハルモニたちにもう少し近づくきっかけになった。

次の時間に、私はさんざん迷ったあげく、絵を描く時に使うのだと説明してハルモニたちに写真を撮ることを提案した。ハルモニたちは、初めはこれといった反応もなく黙って聞いていた。私は用意して行ったカメラにフィルムを入れて写真を撮る準備を急いだ。ところがしばらくして、絵を描かないハルモニたちまで全員が居間に出てきて、写真を撮ってほしいと言うのだ。予想外の反応だった。実は、ハルモニの一人が、この写真を遺影に使うと自慢したのだという。そこで美術の時間は突然、遺影を撮る時間に変わってしまった。

「服をちょっと着替えて撮らなきゃいけないんじゃない？」

服装に思いが至った金順徳ハルモニがこう言うと、「いい考えだ」と相づちを打ちながらみんな部屋に入って行った。しばらくしてきれいに着飾って出てきたハルモニたちは順番に写真を撮った。盛り上がったハルモニたちが、表情をちゃんとつくれなどとはやし立てて居間は大騒ぎになった。この騒ぎを聞きつけて、美術の時間に参加することをやめた朴頭理ハルモニもきれいな紫色の服を着て出てきて照れくさそうに遠くから見ていた。先に出て来たハルモニたちが全員写真を撮った後で、最後に朴頭理ハルモニがカメラの前に立った。こんなふうに写真一枚でハルモニたちとの距離がぐっと近づいたように思えた。

私は、ハルモニたちの写真を選び、観察力を高めるための方法として、逆さ模写[4]の授業をおこなうことにした。ハルモニたちの水準に合わせて極めて単純におこなった。

「美術の先生が笑わせる。こないだは見ないで描けって言って、今度は真っすぐ見て描くのも難しいのに逆さに置いて描けだって？　まったく牛が笑っちゃうよ」

金順徳ハルモニがあきれた調子で言う。姜徳景ハルモニは黙々と絵に集中していた。

「そうですよね。おかしいですよね。でもやってみると、真っすぐに置いて描くよりもうまく描けるんですよ」

休憩時間に姜徳景ハルモニが居間の窓辺に座った。ハルモニはタバコを取り出して口にくわえ、深く吸い込んで煙を吐き出した。他のハルモニに比べて自分の感情をストレートに表現せず、心にため込む性格だったので、姜ハルモニの言葉少ない無表情な顔が私の想像力を刺激した。タバコの煙と共に深く息を吐き出すハルモニの横顔が険しかった人生を端的に示しているように思えた。私は同意も得ずに、無意識にシャッターを押した。姜ハルモニが「何を撮ってるの」と低い声で言った。ハルモニの横顔がすてきだから写真を撮った、現像してくるのでそれを見て絵を描いてみてほしいと言うと、特に抵抗はしなかった。そんなふうに、私は姜ハルモニに一歩、近づくことができた。

ハルモニ美術クラス

美術の時間も三、四カ月すると、それなりに「ハルモニ美術クラス」の格好がついてきた。金順徳《キムスンドク》ハルモニはナヌムの家で一番、性格が明るくて情の深い人だった。

他の方たちよりも心理状態が安定しているように感じた。しかし、絵を描く時には怖がりで、とても消極的だった。今にも嫌気がさして他のハルモニたちのようにやめるのではないかと思ったりした。ところが予想に反して、金ハルモニはきちんときちんと真面目に美術の時間に参加した。そして絵を描くたびに「牛が笑っちゃうよ」とはやし立てるのを忘れなかった。それは「あきれてものも言えない」というハルモニ流の表現だった。絵を描くなんて出世した人にだけ許される贅沢だと思っていた自分が絵を学んでいることが不思議だという意味だった。金ハルモニは、この言葉を自分に向けて冗談のように言ったが、内心うまく描きたいという欲

も持っているようだった。口癖のように自分は学校にも通えなかったから学ぶ機会がなくて絵の描き方がわからないと言い訳しながら、学校に通った姜徳景ハルモニをうらやんだ。うらやむ気持ちは、金ハルモニにとって大事な感情だった。本格的に絵を描く前にやめてしまったハルモニたちとは違って、金ハルモニは上手になりたいという気持ちがエネルギーになって絵を学び続けることができたからだ。もちろん、美術の時間以外にも時間を割いて自分で絵を描くほどの興味を持ってはいなかったが、金ハルモニには学校に行けなかった悲しみを癒やし、今でも遅くないという自信を持つことが重要だった。

李容女《イヨンニョ》ハルモニは大胆で声も大きく豪快だった。また、人前で歌を歌うのが好きで、陽気で闊達だった。ハルモニの性格は、堂々とした豪快な絵にもあらわれていた。対象に対する観察力もあり、ハルモニが初期に描いた自画像を見ても、その特徴がよく表現されている。しかし、李ハルモニは感情をコントロールするのが苦手で、他のハルモニたちとぶつかることが多かった。そんな時には養子として育てた息子の家などに行って、しばらくして帰って来たりした。美術の時間にも、あれこれ口実をつくってしょっちゅう欠席した。授業を始めたばかりの頃、李ハルモニの性格がよくわかる事件があった。ハルモニたちが絵を学んでいることがメ

ディアに知られて、記者たちが取材に来た時のことだ。私は、まだ始めたばかりで軌道に乗ってもいないのにメディアに取り上げられることに戸惑いながら、後ろのほうで撮影を見守っていた。ところがカメラが回り始めると、授業にたいして興味を示していなかった李容女ハルモニが突然、膳を広げた。そしてそのお膳の上に本を載せて字を書き、スケッチブックを開いて熱心に絵を描き始めたのである。ところが撮影が終わると、ハルモニの向学心は急速に冷めていった。

「ああ、頭が痛い。今日はこれくらいにしてお酒でも一杯飲もう」

ハルモニの子どものような振る舞いに、みんな大笑いだった。この事件があったので、李ハルモニが美術の授業にどのような姿勢で参加するのかについては初期からある程度予想することができた。ハルモニは、絵の才能がじゅうぶんあるのに、その才能を生かすだけの真面目さや根気に欠けていた。うまくなる可能性があるのに真面目に参加しない李容女ハルモニと、素質はないけど粘り強く授業にのぞむ金順徳ハルモニは好対照だった。

李容洙《イヨンス》ハルモニは、まるでお金持ちのおしゃれなおばあさんといったイメージだった。華やかで洗練された外見だけ見ていると、陰のようなものはまったく感じられなかった。人前に出るのを嫌がる他のハルモニたちとは違って、社交的で初めての人ともすぐに仲良くなった。美術の時間が始まった初期から参加を約束していたが、ソウルと大邱《テグ》を行ったり来たりしていた

ので定期的に参加することは難しかった。要するに名前だけ入っているという形だった。実際、外向的な李容洙ハルモニにデッサンの授業は合わなかった。対象をじっくりと観察して絵を描くことは、ハルモニにとっては退屈な作業だったに違いない。その李容洙ハルモニが間もなく、美術の時間に大きな貢献をすることになる。闊達に堂々と自らを表現する絵の描き方で。

姜徳景《カンドッキョン》ハルモニは、ナヌムの家のハルモニの中で一番若かった。いつも静かで口数が少なかったが、まなざしが鋭く独特な雰囲気があって、冷静で、距離を感じさせる人だった。姜ハルモニは戦争が終わって帰国した後、独りで暮らしてきた。家父長的な社会で独り暮らしの女性に向けられる度を超した関心と攻撃に耐えながら独身の人生を選んだことは、当時としてはまれなことだった。世の中と妥協しない意志の強さとプライドが、ハルモニの振る舞いや言葉ににじみ出ていた。そのせいか初めから他のハルモニたちとは少し違う印象を受けた。

美術教室を始めてまもなく、私は姜ハルモニの絵の才能に気づいた。ハルモニは対象に対する観察力があり、デッサンの実力がぐんぐん伸びていった。授業を休むこともなかった。落ち着いた性格と真面目さのおかげで、画仙紙に墨が染みいるように、授業を重ねるごとに絵がみるみる良くなっていった。実際、ハルモニたちの中できちんと美術の時間に参加するのは姜ハルモニ一人だった。姜ハルモニの上達は他のハルモニたちにとって、徐々に羨望《せんぼう》の対象になっていった。しかしハルモニは、周りからほめられても静かにほほ笑むだけだった。

孤独な情熱

他のハルモニたちは感情を自由に表現するのに、姜徳景ハルモニは感情を表現することが苦手で、不安な気持ちを隠そうとするかのように、うつむいて絵を描くことに没頭した。結果、絵の実力はどんどん伸びて他のハルモニたちと差がついたが、絵の実力とは別に、感情を容易には表さない姜ハルモニが私は一番気になった。姜ハルモニは、どうしても言わなければならないことだけを口にした。常に緊張の糸を緩めることなく、意思表示をする時にも熟考した上で心の中から絞り出すようにゆっくりと低い声で語った。そうすることによって、自身を安全な場所に隠しておいて他者が容易に近づくことがないようにしていた。ハルモニの周りに透明なガラス壁でも立ててあるかのような距離感があった。ぼんやりと世の中に投げかけられる視線は、人々との関係に対する欲望がなくなっているような印象を与えた。そのせいかとても孤独に見えた。ハルモニは自分を守るために引いた線を誰かが越えて来ようものなら、冷たい目つきで口を固く閉ざした。私は、それが自身の生を守るためにハルモニが選択した生存方法なのだろうと漠然と推し量ることしかできなかった。そしてほどなく、姜ハルモニがナヌムの家に入居した事情を知ることになった。

姜ハルモニは、わずか数カ月前まで南楊州《ナミャンジュ》の畑の貯水タンク横に建てられた古い家で、ビニールハウスの仕事をしながらギリギリの暮らしをしていたという。村はずれの畑で人々と距離を置き独り暮らしをするハルモニのために、村の若者たちがコンクリートブロックで倉庫を改造したのだという。冬にはブロックの間から入り込む冷たい隙間風を布で防ぎ、夏には汗がだらだらと流れる息苦しい家で、熱気を冷ますため冷たい水にご飯を混ぜて口の中に押し込んでいたという。そこから出る少し前には、日本軍に連行されたといううわさが立って外を出歩けなくなっていただけでなく、腕にけがをして仕事にも出られず、政府が生活保護対象者に出す米とお金で暮らしていたという。さらに、その家まで撤去されるという話が聞こえてきた。ハルモニが自身の小さな身体を横たえる空間すら許されない世の中の世知辛さに途方に暮れていた時、これを知った仏教界で日本軍性奴隷制被害者たちのためにナヌムの家を用意した。姜ハルモニの悲惨な状況が、ナヌムの家を誕生させたと言ってもいいのかもしれない。幸いなことに、冬の風から身を避ける暖かい部屋が姜ハルモニに与えられたのだ。それだけではなかった。どこから来たのか、ハルモニたちのために何かをしたいという見知らぬ人々が次々と訪ねて来た。ハルモニは、生涯出会うことがないと思われた人々の過分な関心に戸惑い、そのような急激な変化に恐縮し、あらゆる行動に慎重になったに違いない。50年間、恥辱的な傷を胸に抱いて、世の中から忘れられて無名の人生を送ってきたハルモニが、日本軍性奴隷制被害者の姜徳景として社会的な関係を結び直さなければならなかったのだから、ある意味、当然な反応だったのではないだろうか。

初めて姜ハルモニに出会った時、ハルモニの目には驚いたウサギのような緊張感と鋭敏さが漂っていた。私は、ハルモニが本能的に私と距離を置こうとしていることはわかったが、ハルモニの立場をきちんと理解することはできていなかった。数カ月たってハルモニのことがやっと見えてきた。痛みと傷を理解してくれる人のいない50年間、独りで数知れない不眠の夜に耐えながら口を閉ざして生きてきたため、鋭く研ぎ澄まされたまなざしで殺伐とした景色の中をさまよう暮らしの方が、まだハルモニにとってなじみのあるものなのだという事実にやっと気づき始めたのである。ハルモニがその長きにわたる沈黙を破って出て来るためには、時間と特別なきっかけが必要なのではないかと思われた。

私は、老眼鏡を鼻先に引っかけて、今にもスケッチブックの中に引きずり込まれそうな様子で真剣に絵を描く姜ハルモニを見つめた。あらゆる雑念を振り払って絵に集中するその瞬間ばかりは、ハルモニの顔が穏やかに見えた。白い八つ切りの空間はハルモニにとって、過去の傷ゆえに嵐のように波立つ心情や、人々が寄せてくれる善意の慰めに恐縮するほど慌てる気持ちを、しばし落ちつけることができる寂寞《せきばく》の空間であり、慣れ親しんだ沈黙の空間でもあった。春が過ぎ夏が終わる頃まで、姜ハルモニは黙々と絵を描くことに没頭した。ハルモニはスケッチブックに描いた絵を何度も見返しながら一枚ずつ描き上げていった。ハルモニの絵が驚くほど上達した時、私はもう一段階上のレベルを提示してみたくなった。

ある日、姜ハルモニは手のひらに松ぼっくりを載せた絵を描いて私を待っていた。

「わー、ハルモニ、よく観察しましたね。手の細かいしわまでよく描きましたね」

ハルモニの目にかすかに笑みが差した。

「うむ、でも何かちょっと変なのよ。子どもの手みたいに見えるし……」

ハルモニは絵の欠点を自分で指摘した。

「親指に比べて他の指が短いから子どもの手のように見えるんですよ。どの部分を描く時が難しかったですか」

「松ぼっくりが難しかった。すごく複雑な形をしてるから」

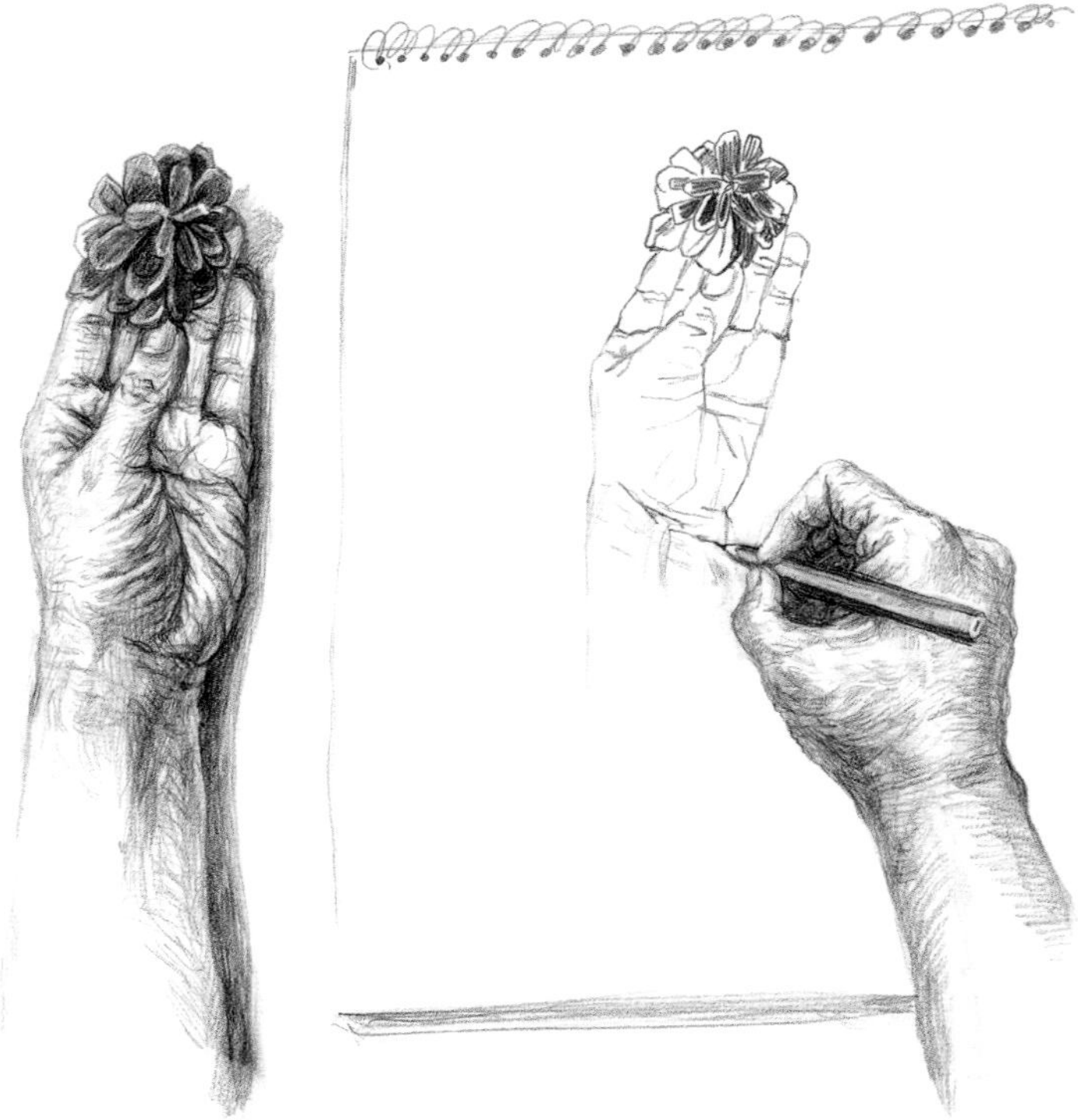

「ゆっくりと描いていたのに、松ぼっくりが複雑な形をしてるから急に焦って、これをどうやって描けばいいだろうって怖くなったんですね。急に焦って頭の中で計算したんだと思いますよ。複雑な部分も面と線の接点をよく見て、落ち着いてゆっくりと描いてみてください」

ハルモニが松ぼっくりを握った手をまた描き始めた。縫い物で時間を紡いでいくかのように、ハルモニの線が白い紙の上を一針一針滑っていく。今度は松ぼっくりと手のバランスがうまく取れた。

「ハルモニ、さっきの絵と今度の絵を比べてみてください。どうですか？」

「ちょっとましかな」と言いながらにやっと笑う。

「ハルモニったら、ちょっとましどころか、はるかにうまく描けてますよ」

美術の先生に褒められてハルモニが照れくさそうに笑った。

姜ハルモニは、同じ絵を何枚も描くことが多かった。同じことを繰り返すのを嫌がる人が多いが、ハルモニは問題を解決しようとする探究心を発揮して静かに同じ絵を描いた。そしていつもそれを私に見せてくれた。ハルモニは、授業のたびに私に何を見せようかと悩み、私は毎回、ハルモニがどんな進歩を遂げたか楽しみにしていた。実際、美術の時間は姜ハルモニ一人でリードしていたと言っても過言ではない。先生である私にとっては幸運だった。姜ハルモニの存在が美術の時間を牽引する非常に重要な動力になったからだ。

私はハルモニに、次のステップとして植物の自然な線と、その線がつくり出す空間を描くという宿題を出した。姜ハルモニは、身の回りの植物を描き始めた。庭に落ちた枯れ葉、散歩の途中で拾った枝、部屋の小さな植木鉢などが白い画用紙に引っ越して来た。

再び美術の時間が巡ってきた。ハルモニたちの部屋にはきれいな花が飾られていた。家の中が明るくなったと私が喜ぶと、何かのイベントに招待されて行き、そこに飾られていた花をもらって来たのだとハルモニたちが競うように言った。ハルモニたちが凱旋将軍のように花を腕一杯に抱えて帰って来る姿を想像して笑ってしまった。姜ハルモニの小さなテーブルの上にもハスの花とユリの花が挿されており、その前に置かれたスケッチブックにそれらの花が優雅に描かれていた。ハルモニは、その花を描いて美術の先生の評価を待っていたのだ。ハルモニの用心深げな目が私をのぞき込んでいた。

「ハルモニ、この絵は今までに描いた中で最高です」

「でも、絵が少し弱く見える」

「絵の中で一番暗い部分を、こんなふうに少し暗くしてみてください」

絵を仕上げる方法を見せてあげると、姜ハルモニは目を輝かせてそのまま真似してやってみる。やはり初期にはハルモニの絵に私がある程度手を加えなければならなかった。けれども、もうそんな必要はないという確信が持てた。

「うわー、うまく描いたねぇ」

他のハルモニたちが姜ハルモニの絵を見るために集まって来た。姜ハルモニの目元にしわが寄り、みるみる笑顔になった。扇風機の強い風が花の香りとハルモニたちの談笑を部屋いっぱいに振りまいた。そのほほ笑ましい光景を見ながら、私はふと姜徳景ハルモニのまなざしが変化していることに気づいた。その時までハルモニがそんなに明るく笑う姿を見たことがなかったのだ。ハルモニは、いいことがあっても声を出さずにかすかな笑みを浮かべるだけだった。

1993. 8.31

そんなハルモニの姿からプライドの強い方だという印象を受けると共に、そんなふうにいつも緊張感を維持する姿がつらそうにも見えていた。ところが、絵が一枚一枚増えるにつれて、姜ハルモニの緊張感が少しずつ笑みに変わっていっているように見えたのである。

おそらくハルモニは、それまで無意識に見過ごしていた植物を眺めてそれを描きながら、姉妹のようにピタっと寄り添う愛らしい木の葉や、みずみずしい枝にしっかりとぶら下がってがんばる赤い実、高貴な姿を誇るユリの花、優雅な香りを放つハスの花に心が少しずつほぐされたのではないだろうか。弱々しい自然の色たちが心に染み入り、みずみずしい雫が乾いた感性を潤すように、ハルモニはその小さな生命たちのけなげさに導かれて膳を広げ、一日中ゆっくりと線を引いたのだろう。もしかしたら時間が止まったかのようなその空間で、心を丸ごと絵に注ぎ入れ、無我の境地に引き込まれていたのかもしれない。不幸にもその境地は去る50年間、孤独に寂しく生きてきた姜ハルモニが一度も行ったことのない未知の世界だった。姜ハルモニは絵のおかげで初めて平和を味わった。そんなふうに暫《しば》し味わった心の平穏が、ハルモニを小さなお膳の上の白い画用紙の前へと盛んに誘ったに違いない。過ぎし時を惜しむかのようにハルモニは一日中、絵の修行をおこなった。暮らしの中で当たり前に感じていいはずなのに感じることのできなかった小さな喜びが、絵になって豊かに積み上げられていった。長い間絶望にとらわれて憂鬱《ゆううつ》と火の玉のような怒りに支配されていたハルモニが、その時間を通して新しい感情を経験したのだ。それは、この数カ月間にハルモニが絵を描きながら集中した一瞬一瞬がつくり出した尊い変化の始まりだった。

今や姜ハルモニの頭は絵のことで一杯だった。ハルモニにとって絵を描くことは新たな発見であり、絵というプリズムを通して世の中を見始めると、ハルモニの鋭いまなざしにも気持ちの変化が反映されるようになった。そしてその変化は、ハルモニ自身も知らないうちに起きていた。その頃、姜ハルモニは自ら降ろしていたベールを剝ぎ取って外に出ようとしているように見えた。美術の時間にも、活力を取り戻したのか声が大きくなった。私は、姜ハルモニが自らを閉じ込めていた閂《かんぬき》を外して境界の外に出て来ようとしていると感じた。

隠された傷

夏も終わろうとしていた。ナヌムの家のハルモニたちの間にも自然と秩序ができていた。最年長の金順徳ハルモニと最年少の姜徳景ハルモニがムードメーカーになり、美術の時間のおかげで、私とハルモニたちとの関係も自然なものになっていた。何気なく側にいるだけでも、信頼は少しずつ築かれていった。ところが、堅苦しい礼儀を意識しなくてもよい、楽で慣れた状態になると、それまで隠されていた傷が少しずつ姿をあらわし始めた。

はじめ私はハルモニたちがしょっちゅう喧嘩していることを知らなかった。ハルモニたちは普段は「姉さん」「妹」と呼び合いながら、あっというまに仇になって互いを傷つけ合った。ほとんどの喧嘩がささいなことから始まるように、ハルモニたちの喧嘩も極めて小さな理由で始まった。例えば、リンゴや梨といった大きさに差がある果物が届けられたりすると、それをわける過程で喧嘩が起きるようなこともあった。小さなリンゴと大きなリンゴの差程度の小さな利権を巡るハルモニたちの諍《いさか》いは、ある瞬間、燃え盛る炎のように激しく火花を散らした。諍いは人が集まる場所では必ず起きるものだが、ハルモニたちは体面を取り繕ったりすることなく、生存のために壮絶に学習してきた行動をそのまま見せつけた。その上、過去の傷ゆえに感情調節がうまくできないことも加わって、諍いは容易には収まらなかった。別の見方をすると、この世の果てに追いやられた存在たちが身もだえするように、ハルモニたちもこれまでそんなふうに生き残ってきたのではないかと思われた。そんなふうに50年を生きてきたからこそ、全身に刻まれた痛みが刃となって、自身だけでなく他者をも切り刻んでしまう。それゆえリンゴの大きさのようなささいなことでも、心の余裕を示すことができずに争ってしまうのだ。

ハルモニたちの諍いを知ったことで、情緒的・身体的な問題も少しずつ目に入り始めた。ハルモニたちの部屋には薬があふれんばかりに盛られたバスケットが一つずつ置かれていた。ハルモニたちは老人特有の疾患の他にも婦人科系の疾患を多く患っていた。また、小さな刺激にも感情調節がうまくできず、ささいなことでもすぐに腹を立てた。絵を描く三人のハルモニも同様だった。李容女ハルモニはつらい過去を表によく出す方だった。つらい時にはお酒で気持ちを慰めてきたのか、マッコリをよく飲み、お酒を飲むと大泣きした。その声に近所の人たちが警察に通報することも一度や二度ではなかった。過去の傷によるアルコール中毒症ではないかと心配された。そんな李ハルモニを見て、他のハルモニたちは「苦労したのはあんただけじゃない」という気持ちから李ハルモニを責めた。結局、李ハルモニは他のハルモニたちとずっと一緒に過ごすことが難しく、養子として育てた息子の家とナヌムの家を行ったり来たりしながら生活していた。

金順徳ハルモニは娘一人、息子二人を産んだ。戦争の時に娘を失ったが、それなりに家庭生活を営んできた。大学まで出た息子と日本に留学中の孫娘がハルモニの自慢だった。そんな特別な問題がなさそうに見えた金順徳ハルモニにも、おかしなところがあった。少し異常だと思えるほど物を収集する癖があったのだ。金ハルモニの場合は他者との関係に問題があるというよりも、情緒的に不安定に見えた。姜徳景ハルモニは、なかなか他人に自分のことを明かそうとせず、何事にも用心深かった。若い頃から婦人科系の疾病に悩まされてきた上に、腎臓病と不眠症も抱えていた。いずれにしても共同生活を維持しなければならないので、ハルモニたちの間で争いが起きると、若い姜徳景ハルモニが交通整理をしていた。

傷をそのままさらけ出す李ハルモニから、表面的には平凡に見える金ハルモニ、自身の内面を明かさない姜ハルモニまで、皆、過去の苦痛が現在も続いていた。その苦痛を解消する方法を見つけることがとても重要に思えたが、私にはそこまでの余力はなかった。恨《ハン》多き証言をおこない自身が日本軍の性奴隷にされたことを明らかにしたにもかかわらず、日本軍の責任をきちんと認めない日本政府と闘うことがハルモニたちにとっては一大事だったので、心の傷をいたわることは後回しにされがちだった。人々も、ろくな住居もなかったハルモニたちに身体を横たえる空間ができただけでも幸いだと考えていた。

やまない苦痛

戦場から生還した日本軍性奴隷制被害女性たちは約束でもしたかのように、自身の被害体験について口を閉ざした。家父長的で男性中心的な韓国社会で性奴隷にされた事実を口外することとは自死に値することだったから、若い女性たちは沈黙し、これによって日本軍性奴隷制問題は歴史から完璧に消されてきた。彼女たちは、純潔を踏みにじられたことを自らの過ちだと自責し、日本軍による集団性暴行の記憶を一刻も早く忘れようとした。しかし、心の奥底に沈めたはずの苦痛は、絶えず恥辱の感情となってよみがえった。その苦痛は、逃げようとすればするほどしつこくつきまとうように設定されているかのようだった。彼女たちはメビウスの輪の上を逃げ惑うかのように、未来をも過去の汚辱と苦痛の捕囚《ほしゅう》にされて生きてこなければならなかった。苦痛は、時が流れるにつれ彼女たちの人生に複雑で多層的な影響を与えた。長い歳月が流れても癒やされなかった内面の傷ゆえに、徐々に言葉を失い、鬱《うつ》状態になり、あるいは人間嫌いになったりお酒を浴びるように飲んだりする気難しい老女になっていった。

ハルモニたちが不安や鬱、貞操に対する社会通念を打ち破って世の中に出始めると、誰にも悟られてはならないと思ってきたあのこと、50年間パンドラの箱に閉じ込めて胸奥深く隠してきたことが一気に噴出し始めた。日本軍の組織的な性暴力について具体的な証言で告発することは、日本軍の性奴隷にされた最初の事件以来の、ハルモニの人生を根こそぎ変える二度目の変化であり、重要な転換点になった。

しかし、パンドラの箱の閂《かんぬき》が突然はずされると、ハルモニたちの心は荒々しい津波に襲われた。津波は海底の暗い深淵《しんえん》をわしづかみにして、すべてを水面に浮かび上がらせた。おろおろするハルモニたちの気持ちも、きらきらと輝く陽光の下にそのまま赤く浮かび上がった。明るい陽の光は一握りの闇も許さなかった。時間がもう少し流れれば、日差しの暖かさを楽しむ余裕もできるのだろうが、当時のハルモニたちは心の傷がそのままあらわになった状態で、誰かがほんの少しでも触れたらびっくりして飛び上がり全身を固く縮こめた。ぎゅうぎゅうと押し殺していた怒りが、まるで昨日のことのようにこみ上げてきたが、どうコントロールすればいいのか、果たしてコントロールすることができるのか、皆目見当がつかなかった。

ハルモニたちが日常的に争い互いを傷つける姿や、部屋の片隅に置かれた薬の籠から毎日一握りの薬を取りだして口の中に放り込む姿を見ながら、私はどうすればいいのか悩んだ。多分、この頃からだったと思う。ハルモニたちの美術の先生として、私は漠然とではあったが、ハルモニたちが自らの苦痛を絵で表現できたらいいと思うようになっていた。ハルモニたちはいつの間にか少しずつ絵が上手になっていたから、可能に思えた。人類の歴史の痛みや苦しみが芸術となって生まれ変わり共感を引き出すように、ハルモニたちの胸の内の苦痛も絵で表現することができたら、その苦痛から自らを解放する近道になるに違いないという確信が持てた。無知ゆえの勇敢さとでも言おうか。美術治療という概念も方法も知らない時だったが、純粋に直感でそう思った。絵が、罪の意識や自己嫌悪に彩られた人生を生きてきたハルモニたちの救いになること、恥と思ってきたことをあらわにすることで自らの存在が認められることへのハルモニたちの困惑が少しでも慰められることを夢見た。願わくは一人でもいいから、そうなることを祈った。もちろん、たやすいことではなかったが、ハルモニたちは証言と水曜デモへの参加、さまざまな人々との出会いを通して意識の変化を経験していた。だからこそ、じゅうぶんに挑戦する価値があると思った。このようにボンヤリとだが、美術の時間の新しい方向性が定まっていった。

ところが私の想像と現実との間には乖離《かいり》があった。ハルモニたちは自身の過去を絵で描こう

などとは夢にも思っていなかった。まして絵は、言葉でおこなう証言とは違って具体的な場面をあまりにも生々しく思い出させるため、私もハルモニたちの気持ちをおもんぱかってなかなか切り出すことができなかった。また、美術治療をおこなうには、私がハルモニたちよりもはるかに若く、美術治療の経験もないということが問題になった。ハルモニたちは私を「美術の先生」として丁重に接してくれたが、実際まだ結婚もしていない私はハルモニたちから見れば、他人に話しにくいことを赤裸々に話したり絵で表現したりすることの手助けを受けるには若すぎる「女の子」にすぎなかった。

新たな試み

ある日偶然、美術雑誌で精神障害者たちの絵を目にした。雑誌には、美術を媒介にして障害者の内面に隠された物語を表現することで何が問題なのかを引き出す美術治療法が紹介されていた。「絵を描く過程そのものが個人の内面と外部の世界、精神と物質世界を調和させ、葛藤や不安を解消することに役立つ。何かを創造し新しいものをつくるという自己実現の喜びと、心の奥底にしまっておいた傷を想像力と結合させて外に表出させることが目的だ」と書かれていた。

はっと目が覚めた。まるで誰かが私の悩みを知っているみたいだった。美術の時間の方向性に変化を加えたいと思っていた時だっただけに、美術治療という言葉はとても魅力的に映った。しかし、本屋を隅々まで探しても、美術治療に関する本を見つけることはできなかった。

そこで、美術雑誌に寄稿した精神科の医師を訪ねることにし、雑誌社に頼み込んで連絡先をやっと手に入れた。そして鍾路《チョンノ》の病院をやみくもに訪ねていった。

精神科の病院に行くのは初めてだったので余計に緊張した。看護師に用件を告げると、すぐに診療室に案内された。ドアを開けると、医師が患者と相談しているところで、私はひどく慌てた。小花模様のワンピースを着た患者は、突然の珍客である私から顔を背け反対側にある窓の方を見ていた。私が診療室を出るまで窓の方を見続けているのだろうと思われた。そこで、その患者のためにも、早く質問をしなければならないと思った。私は簡単に自己紹介した上で、日本軍性奴隷制被害者たちに特別な授業をしたいと思っていたところ、先生が美術治療について書かれた文を読んで訪ねて来たと口早に説明した。医師は、ずいぶん前から精神科で心の治癒の道具として絵を用いて来たと言った。美術治療学会があるということも、初めて知った。美術治療についてもう少し知ることができてうれしかった。何よりも、ハルモニたちにとって有益だと思い興奮した。しかし、突然訪ねて来て焦ってあれこれ質問する私に不安を覚えたのか、医師は拙速にやらずにじゅうぶんに勉強した上でやってみるようにとアドバイスしてくれた。自分で考えても、高い城の前で使い方もわからない槍を1本持って右往左往しているような状態だったので、向こう見ずな私を医師が心配するのも当然だった。短時間の質疑応答だったので多くを得ることはできなかったが、次の段階に進むきっかけになった。

その後、知人の助けを得て実際に美術治療を受けている患者たちの絵を見ることができた。私にとってはとても切実な宿題で、どうしても知りたかったので必死だった。ハルモニたちの美術の時間をきっかけに美術治療に関心を持ったのだが、後に絵を指導する者として本格的に美術治療の勉強をすることになった。しかし、精神科でおこなわれている美術治療の結果物を見れば見るほど、美術がただ道具として使われているようで寂しくもあり何か釈然としないものがあった。もちろん精神科の治療において言語で表現できないものが絵を媒介にして表出されるという非常に肯定的な側面はあるが、患者たちが吐露する絵から感動を得ることは難しかった。言い換えるならば、私が求めているものと精神科でおこなわれている美術治療は完璧には一致していなかったのである。私は再び悩み始めた。誰かの傷が表現された絵を見て人々が共感し感動を得ることはできないのだろうか。不幸だった個人史を表現した画家たちの絵を見て私たちが感動するのと同じように、ハルモニたちも自身のストーリーを絵に込めて人々に感動を与えることができたらどれほどいいだろう。私は、この悩みを心の片隅に置いたまま、美術の時間に変化をもたらすため慎重に時を待った。

ところがハルモニたちは、性奴隷被害について証言すると再びあの頃のことが生々しく浮かび上がって夢見も悪く、つらいと訴えた。そんなハルモニたちにつらい過去を絵で描いてみようなどと到底切り出すことができなかった。ハルモニたちの問題をどのように絵に引き出せばいいのか、暗中模索が続いた。ハルモニたちの傷を下手にほじくり返して悪い結果を招く可能性もあると思うと、怖くもあった。この試みは、美術の先生としての私自身にとっても挑戦だった。そこで、まずは今感じている感情を絵で表現する授業をしてみることにした。これまで絵の基礎を学ぶのに精いっぱいで、心の中にしまい込んだままだった感情を自由に解いてみる必要があると思ったのだ。喜び、悲しみ、怒り、寂しさなど、今自分が感じている感情をアクション・ペインティング(5)のように絵の具で表現する方法を試すことにした。幸い、私の思いが意外に簡単に遂げられる機会が迫ってきていた。

赤い唇

　久しぶりに大邱《テグ》から李容洙《イヨンス》ハルモニが来た。おしゃれなハルモニらしいきれいな服装だった。ハルモニは、ソウルのナヌムの家に来るたびに美術の時間に参加していた。ちょうど心象表現を試みる初日のことだった。

　私は、新しい授業にハルモニたちがどんな反応を示すか、とても緊張していた。でも、軽い言い方でハルモニたちに新しい授業について説明した。

「今日は新しい方法で絵を描いてみましょうか。初日に落書きのように絵を描いたのを覚えてますよね。あの時と同じで、今日の授業は絵が上手とか下手とか全然関係ないんです。さあ、目をつぶってください」

　ハルモニたちは言うことをよく聞く幼い生徒たちのように、全員目を閉じた。

「最近どんな感情を持ったか思い出してみましょう。うれしかったのか、腹が立ったのか、悲しかったのか、何でもいいので思い出してください。それからどうしてそういう感情を持ったのかも思い出してみましょう」

こう言った後でしばらく待ち、話を続けた。

「さあ、目を開けて思い出したことを描いてみましょうか。子どもが落書きするみたいに自由にやってみてください」

普段とは違う授業にハルモニたちがどうすればいいのか当惑しているのが感じられた。もちろん、ハルモニたちには多少難解な注文だということはわかっていたが、あらゆる試みには無謀な勇気が要るものだし、結果に関係なくとりあえずやってみることが重要だった。皆が戸惑っている時に、まず李容洙ハルモニが筆を執った。赤い絵の具を筆につけ、果敢にスッスッと描き始めた。赤い線がつむじ風のように紙の上にためらいなく跡を残していく。ハルモニは赤の次に黄色、青の線を複雑に引いた。華やかな線たちが葛《くず》の蔓《つる》が絡まるように互いに絡み合った。

「この絵のタイトルは『複雑な暮らし』。今まで生きてきて、この世の中で暮らすということは、いろいろと悩みがあっても解けないし、日増しにますます複雑に絡まってしまう。やりきれない気持ちになったから、こんなふうに描いてみました」

尋ねてもいないのに、ハルモニは親切にこの絵について説明までつけ加えてくれた。どんな授業になるかと緊張していたが、ハルモニの言葉に自然と笑みが浮かんだ。順調な滑り出しだった。自身の感情を素直に表現することで、新しい美術の時間の門出を見事に飾ってくれた李ハルモニがありがたくて、私は心からハルモニの絵をほめた。

勇気を得た李ハルモニはまた何か思いついた様子で虹色の楕円《だえん》を描き始めた。画面の左側に少し小さな楕円が、右側には少し大きめの楕円が描かれた。ハルモニは、赤い絵の具をつけた筆で右の楕円の上のほうに強く点を打った。他のハルモニたちはまだ何をすればいいのかわからないまま、李ハルモニが赤い点を力強く打つ姿を不思議そうに見ていた。最後にハルモニは左の楕円の上に「青春」と書いて絵を仕上げた。そしてしばらく物思いにふけるかのように目を閉じていたかと思うと、絵の説明を始めた。

「左は娘時代の私のきれいな姿よ。幼い頃は本当にきれいってよく言われたものよ。この右側は今の私なんだけど、傷だらけなの」

私は興奮した。李容洙ハルモニがこんな形で自身の傷を取り出すとは想像もしていなかったからだ。ハルモニたちの過去の傷をどうしたら絵で表現してもらうことができるかと悩み続けていたが、李ハルモニの絵が一気にそれを解決してくれた。そしてその一枚の絵にハルモニの問題がとても簡潔に、明確に、圧縮的に表現されているということに改めて驚いた。ハルモニの絵で楕円は女性の性をあらわす特別な象徴として表現されていた。左の楕円は日本軍に連れて行かれる前の純潔で純粋だった自分を、右の楕円は性奴隷とされ性暴力によって傷ついた後の現在までの自分を表現していた。そして生きてきた歳月の大きさに合わせて右の楕円が大きく描かれていた。

李ハルモニの筆には羽が生えたかのようだった。ハルモニはためらうことなく次々と気持ちを吐き出していった。今度は白い画用紙の上に赤い大きな唇を描いた。ハルモニは口紅を塗るように丁寧に赤い唇を描いていた。絵の真ん中に巨大な女性の唇が超現実的に浮かび上がった。表現が新鮮で強烈で、唇だけでも魅力的な絵だった。ハルモニは、唇の上に虹を描いて絵を仕上げた。その絵の意味が知りたくてたまらなくなった。

「これまで生きてきて、言いたいことは本当に山のようにあった。でも、それを言えないで生きてきたの。旦那と別れてから、こうやって言いたいこと言って歩けるようになったのよ」

李容洙ハルモニの絵「虹の赤い私の唇」の唇は、実際にハルモニの唇にそっくりだ。李ハルモニはいつも華やかな赤い口紅を丁寧に塗っていた。唇を飾ることは李ハルモニにとってとても重要な儀式だったのだ。自身を飾る行為を超えて、女性としてのプライドを表現する方法であると同時に、愛する自分自身に対する愛着行動だった。

唇の上のきれいな虹は、二度と戻ることができない純真無垢な美しい過去を意味していた。虹は、人間が行き着くことのできない純粋な理想の世界であり憧れの対象だ。その虹は、李ハルモニの幼い頃とつながっていて、傷つく前のきれいな時代に帰りたいというハルモニの心の状態をあらわしていた。傷つく前の幼い頃に戻りたいという欲望、口腔に留まりたい気持ち

が、誇張された唇で表現され、ハルモニの心をそのまま代弁していた。誰にも知られたくない秘密を胸に抱いて生きることは、活発な性格の李ハルモニにはとても苦しいことだったに違いない。李ハルモニは、華やかな外見とは違って絵では固く閉じた唇を描いたが、それは華やかな外見の背後に隠された、言いあらわすことのできない恨《ハン》を表現していた。

最後に李ハルモニは、多彩な色を用いて水が流れるように自然と流れる線を表現した。「私の心、星のように」と題されたこの絵は、最初に描いた「複雑な暮らし」と対をなす作品だった。

ハルモニは、複雑に絡まった心が流れる星のように自然と解き放たれることを願って、この日の授業を完璧に終了した。たった一度の授業で自身の問題を隠すことなく率直に表現し、絵でハンプリ（恨《ハン》を解くこと）をしたのだ。絵と共に適切な説明まで難なくこなす李ハルモニを見て、その場にいた人々は皆、新鮮な衝撃を受けた。私は、李ハルモニから受けた感動を二倍にしてお返しした。李ハルモニに対する美術の先生の称賛が、姜徳景ハルモニと金順徳ハルモニに授業の新しい方向を示すことになってほしいと願う気持ちもあってのことだった。李容洙ハルモニの絵は、すぐに他のハルモニたちに影響を与えた。

ひたむきに

しばらく李容洙ハルモニを見ていた金順徳ハルモニが、何か物思いにふけっていたかと思うと、筆に赤い絵の具をつけた。雪原のように真っ白な画用紙に赤い血が一滴落ち、筆が止まった。数秒間の沈黙の後、ハルモニの手が少し震えたかと思うと、線が生き返って動き始めた。ハルモニは筆先にすべての気を集めて線を描いた。まるで聖水をくんできて祈りをささげるかのように真心をこめて描いた。これまで金ハルモニから感じたことのない集中力だった。赤い線はハルモニの心拍数をあらわすかのように規則的に動いた。その姿が他のハルモニたちの関心を集めた。

「姉さん、それは何?」

まだ何も描くことができずに焦り始めていた姜徳景ハルモニが尋ねた。普段ならすぐに答える金ハルモニが、一言も返さずに黙々と線を引く。もしかしたら集中するあまり聞こえなかったのかもしれない。そんなふうにしばらく赤い線を引いた後、赤くなった気持ちを冷まそうとするかのように筆に青い絵の具をつけて赤い線の下に引いた。白い画用紙が赤と青の線でいっぱいになった。真剣なハルモニの姿に皆、それ以上声をかけることができずに見入っていた。

　すぐに絵は完成し、ハルモニたちは金ハルモニの口に耳目を集中させ説明を待った。しかしハルモニは説明をせずに、自分が描いた絵をじっと見ていた。そしてついに口を開き「これは一片丹心《イルピョンタンシム》（ひたむきな気持ち）よ」と短く言った。ハルモニたちは赤と青の波線で埋められた絵と「一片丹心」という言葉の間の関連性を見いだすことができず大声で笑った。

「これがどうして一片丹心なの？」

　姜ハルモニがまだ笑いが収まらない顔で聞いた。ところが金ハルモニは他のハルモニたちが笑うことを気にもしなかった。普段自分が描いた絵を恥ずかしがっていた金ハルモニの顔に決然としたプライドが感じられた。金ハルモニは、笑いが収まるのを待ってから説明を始めた。

「私は若い頃にひどい目に遭ったけど、一生を一片丹心で（ひたむきに）一生懸命に生きてきたのよ。ほんの少しも休まずに、今までただの一度も脇目も触れずに。大変だったけど、一生懸命に生きてきた。それをこういうふうに描いたのよ」

　過ぎし日々がよみがえったのか、ハルモニは所々に力を入れて普段よりもゆっくりとした速

일편단심 1993.10.12
김순덕

度で、声のトーンも少し高くして語った。ハルモニのブルブルと震える声が居間に響き渡り、残っていた笑いを完全に払拭した。金ハルモニの真剣さは他のハルモニたちにじゅうぶんすぎるほど伝わった。皆、粛然とした。

金ハルモニにとって赤と青は太極旗をあらわすもので祖国を象徴する色だった。祖国は少女たちを守ってはくれなかったが、祖国に対するハルモニたちの愛はとても大きかった。ハルモニたちは日本軍から被《こうむ》った被害を自らの薄幸のせいにした。金ハルモニも、そのような一人だった。そして、金ハルモニも日本軍の性奴隷にされた恐怖と不安、憂鬱な感情を外に噴出することができずに心の奥底に深く積み重ねていた。子どもを産み育て、比較的平たんな暮らしをしてきたように見える金ハルモニであっても、それは避けることのできない運命だった。傷は、忙しい時には忘れていることができても、少しでも余裕ができると必ずやってきて首を締めつけてきた。一時もじっとせずに忙しく動くのも、そんな苦痛を忘れるための金ハルモニなの苦肉の策だったのだろう。

ハルモニが描いた「一片丹心《イルピョンタンシム》」は、幼い子どもが描いた落書きのようにも見えるが、生涯怠けることなく懸命に生きてきた金ハルモニの人生をよく代弁していた。あれほどのことを経験しても、耐えて、耐え抜いて、赤と青の人生の峠を越えてきた生がここにあると、ハルモニの絵の中の線たちが鼓動のようにドクドクと生きて動いているかのようだった。

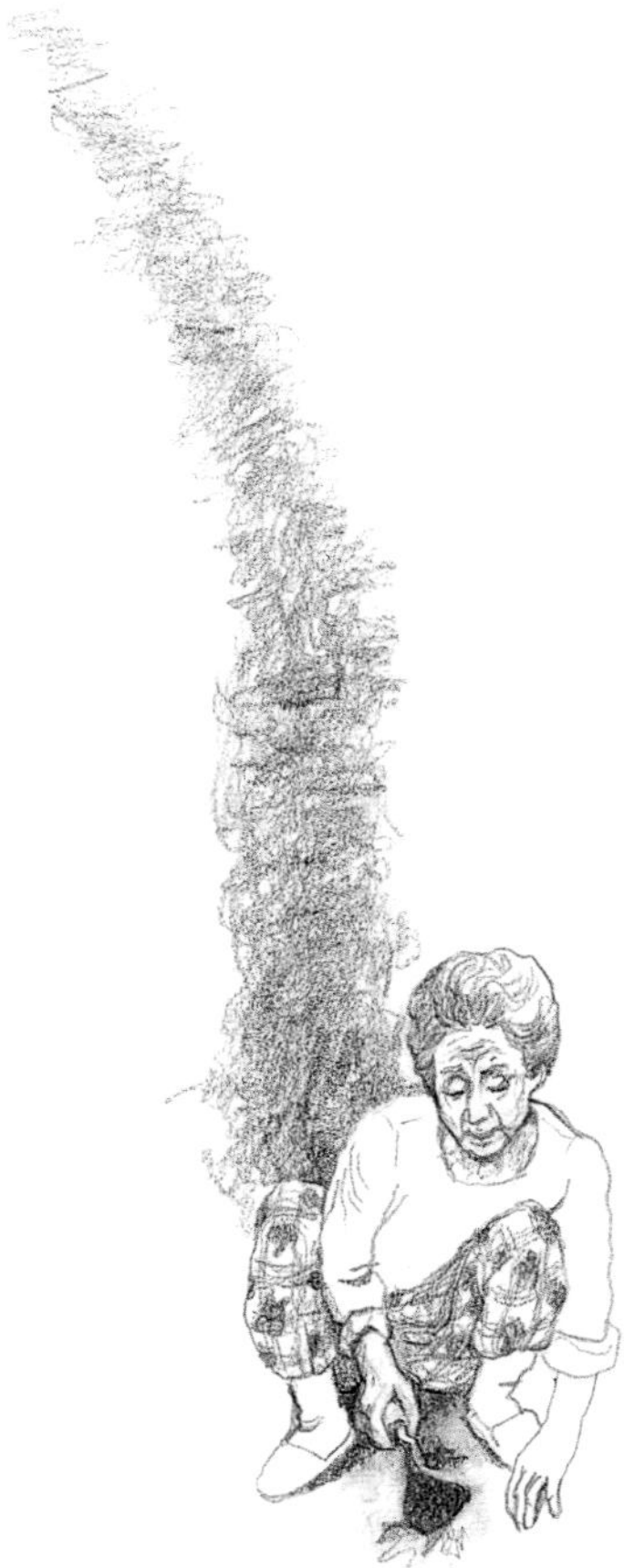

とまどい

姜徳景ハルモニは李容洙ハルモニと金順徳ハルモニが絵を描く姿を見守るだけでなかなか筆をとろうとしなかった。美術の時間に最も積極的だった姜ハルモニらしくもなく、当惑の色が顔に歴然とあらわれていた。私は、今回の授業がとりわけ普段自分の気持ちをなかなか表現しない姜ハルモニにとって極めて重要な授業になるだろうと予想していた。私は、美術の時間の模範生である姜徳景ハルモニが新しい授業を積極的に受け入れ、絵を通して自身の傷に正面から向き合うことを願っていたので、内心、姜ハルモニに大きな期待をかけていた。しかし私の期待とは裏腹に、姜ハルモニは心象表現の最初の授業から拒否を全身で表現した。姜ハルモニはものを見て描いてまわりからほめられ、じゅうぶんに認められて自信をつけていたので、わざわざ新しい方法を試す必要を感じなかったのかもしれない。ハルモニが新しい美術授業を歓迎しないのも理解できた。だからといって美術の時間の中心人物である姜ハルモニ抜きで授業を進めるわけにもいかず、新しい授業はもう少し後にするべきかと迷った。

美術の先生ががっかりしている表情を読み取ったのか、姜ハルモニがやっと筆を執った。雰囲気に押されてしかたなく描いていることは、ハルモニも、私もわかっていた。最初の絵は、李容洙ハルモニが描いた「複雑な暮らし」の模写から始まった。複雑な暮らしを糸が絡み合うような線で表現した李ハルモニの絵に強烈なインスピレーションを受けたようだった。姜ハルモニの絵は、李ハルモニが華やかな色を選んだのとは逆に、落ちついた緑と青を使い、あとはただ模写しているだけの絵だった。しかし、複雑な線を引きながら新しいアイデアが浮かんだのか、新しい画用紙を開いて再び絵を描き始めた。紙の上に描かれた鋭くとがった線は、明らかに不愉快な感情を表現していた。ハルモニはその下に、良くない感情を分離するかのようにクネクネとした線を幾重にも描いた。そして一番下に屏風のように深い山を描いた後、悠々と空を舞う雁も描いた。絵は複雑な世の中と静かな世の中を対比させて表現していた。

「世の中が本当に騒々しくてうるさくて……。全部忘れて深い山の中に入って静かに暮らしたい」

絵について話すのもためらわれるのか姜ハルモニは短く一言だけ言った。何が騒々しくてうるさいのかと質問が続いたが、ハルモニは「日本もそうだし……。気持ちがざわつく」とだけ

答えて、口を閉ざしてしまった。姜ハルモニを含む日本軍性奴隷制被害者たちは、証言をすればこの問題がすぐに解決すると思っていた。そこで、生涯息を殺して生きてきたが、すべてをかけて名乗り出た。ところが日本軍が慰安所運営の主体であることを認めない日本政府を相手に再び闘わなければならないということに気づき始めていた頃のことだった。膨れ上がっていった希望が、風船の空気が抜けるように急激にしぼんでいった。何を描けばいいかと考えあぐねた末に、姜ハルモニはその失望感を「深い山中の雁の群れ」で表現していた。

無理に描いた絵ではあったが、姜ハルモニが自分のことを話すことができて良かった。姜ハルモニが新しい授業を拒否するのではないかと心配していたが、やっと少し安心した。慣れない状況に接するとナーバスになる姜ハルモニが新しい授業を受け入れるにはもう少し時間が必要だと思われた。

変化

心象表現の授業は美術の先生である私の方がハルモニたちよりも感動し、いろいろなことを考えさせられる授業だった。李容洙ハルモニが毅然と、そして果敢に始めてくれたことが大きかった。李ハルモニが描いた絵の前向きな力が他のハルモニたちに伝わり、とまどっていた気持ちを奮い立たせた。この授業こそ、今後ハルモニたちになくてはならない授業になっていくだろうと私は確信した。そして何よりも授業の構成員が重要だという事実も知った。似たような傷を抱えた人同士が互いに刺激し合い助け合えるということに気がついたのだ。しかし、まだ心を開いていない姜徳景ハルモニが積極的に授業に参加できるように、もう少し繊細なアプローチが必要だった。

私は、最高の模範生だった姜徳景ハルモニが心象表現の授業には消極的であることが残念でならなかった。ハルモニは、新しい作業を負担に思っているだけでなく、何か他に理由があるように見えた。おそらく生涯独身を貫いてきた姜ハルモニの生き方と関係しているのではないかと思われた。強いプライドで武装して他者に感情を示すことなく50年を独りで生きてきたハルモニに、ある日突然、自身の感情を絵で表現してみてほしいと提案したのだから当惑するのも当然だった。

一方、心象表現の授業で最も頭角をあらわした李容洙ハルモニは姜ハルモニとは正反対で、この授業を抵抗なく受け入れ自身の感情を積極的に表現した。李ハルモニの性格は、心象表現の授業にぴったりだった。ハルモニは水を得た魚のように、自身を絵に大胆に描き出した。

心象表現の授業はデッサンに自信を持てなかった金順徳ハルモニにも大きな勇気を与えた。それまで絵が上手な姜ハルモニの陰でいつも自信なげだった金ハルモニが、この授業を通して、うまく描かなければならないというプレッシャーから解放された。さらに、李容洙ハルモニの絵が、同じ傷を抱えてきた金ハルモニの心に響き人生を振り返るきっかけにもなった。大変な集中力で描いた「一片丹心《イルピョンタンシム》」をきっかけに金ハルモニに小さな変化があらわれ始めた。美術の授業の前に必ず合いの手のように言っていた「牛が笑っちゃう」という言葉を口にせずに、真摯に授業に参加するようになったのだ。

ハルモニたちの性格によって心象表現の授業の受け入れ方も異なっていたが、それでも最初の授業で予想外の成果を得て、私は新しい授業に大きな期待を持ち希望も膨れ上がった。ところが大きな発展の可能性を示してくれた李容洙ハルモニは絵を数枚描いただけで再び大邱に帰ってしまい、金順徳ハルモニは何を描けばいいのかと悩み、姜徳景ハルモニは周りにあるものばかり描こうとしたので、美術の授業は再び元に戻ってしまった。

そんな状態で数週間がたった。ナヌムの家に到着すると、何か冷たい雰囲気が漂っていた。ハルモニたちは朝のニュースを聞いて立腹していたのだ。日本の政治家が、日本軍は朝鮮の女性を強制的に連行していないと再び妄言を吐いたということだった。当事者たちが生きて証言しているのにまったく変わらない日本の態度に、ハルモニたちは再び傷ついていた。そんな状態では授業をすることは難しかった。私は授業はやめてハルモニたちの話を聞くことにした。時間がしばらくたってから、私はハルモニたちに現在の怒りを絵で表現できないかそっと尋ねてみた。ハルモニたちは腹がたってできないと言った。その気持ちはじゅうぶんに理解できたので、今日のような日には授業は無理だと思った。

ところが美術の先生がかわいそうだと思ったのか、姜徳景ハルモニが一人で筆を執り絵を描く準備を始めた。しばらく考え込んでいたハルモニが、雨が降る絵を描き始めた。絵の中の雨の雫は重力を拒否するかのように下から上へと昇る形をしていた。ハルモニは、このような表現方法になじめない様子でしばらく動きをとめたが、再び力を入れて強くタッチを入れていっ

た。雨の雫の間に赤い点が打ち込まれていく。絵の下の方には川が流れている。その上に赤い傷と雨が共に流れる。そんな青い川に落ちる赤い血は川の水と混じることなく流れる。絵を描き終えたハルモニが鉛筆で「悔しくてたまらない」とタイトルを書いた。私はその姿を見て、今日が姜ハルモニが心象表現を受け入れた重要な日になったと思った。

「この赤い点は怒りを描いたの。これがポトポトと落ちて川に流れるんだけど、あまりにも多すぎて川の水と混じらずに、水の上を流れているの」

姜ハルモニは怒りの感情を語った。リズミカルな筆のタッチと赤い傷で怒りの感情を表現していたが、斜めに規則正しく列を成す線たちではまだ感情をじゅうぶんには発散できていなかった。絵の具が乾くのを待っていたハルモニは、さらに画用紙の上に虚空を裂くかのような黒い傷を描き加えた。傷の間から血が噴出した。強い筆の跡は淡いピンクから赤へと、そして赤黒へと扇を開くかのように徐々に濃くなっていく。それまでハルモニが使うことのなかった大胆な色使いとタッチだった。びっしりと詰まったトウモロコシの粒が熱に耐えきれずに白い花のように咲くかのごとく、大胆なタッチが内面からはじけ出た。私は、絵を描く姜ハルモニを見た。ハルモニのまなざしが以前のように輝いていた。ハルモニはしばし息を整えた後で、黒い傷から流れる血を川に落とした。今度の絵からもまた、血の雫は水に混じらずに川を成しとうとうと流れた。川は時間を意味していた。血と水が混じらずに流れる川は、いくら歳月が流れても過去の傷は永遠に続くことを意味していた。

「わー、ハルモニ、タッチがすごくすてきです」

ハルモニの絵の変化に、自然と感嘆の言葉が口をついて出た。変化した絵の表現がハルモニ自身にはどんなふうに感じられているのか気になって、ハルモニの反応を探る余裕もないまま質問が先に飛び出した。

「まだこういう絵を描くのはちょっと難しいけど、今日はニュースのせいで腹が立ってタッチを強くしたくなったの。それでこんなふうに描いてみたら、ちょっと気持ちがすーっとした」

姜ハルモニは初期の頃から繊細に、そして緻密に絵を描いてきたので、線を大胆に引いたり絵で感情を表現したりできずに、おとなしくしまい込んでいた。ところが今回の絵では、大胆な筆使いで自身の感情を抽象的に描き出した。心象表現が苦手だった姜ハルモニがこの絵を機に美術的に一段階跳躍したのだ。予想外のことだったが、日本の政治家の妄言が起爆剤となって、ハルモニは怒りを絵に投影することができたのである。

私には新しい期待が生まれた。今後、姜ハルモニがさまざまな技法で絵を描きながら自身の感情をあらわにすることができるのではないかという期待だ。そして、まさに今が、ハルモニが人生においても、絵においても、すべての面において緊張をほぐして自らを自由にすることのできる時なのではないかと思った。ハルモニが岩のように固まっていた足を動かして、前に向かって一歩踏み出していることが感じられたからだ。

「ハルモニ、怒りの表現がまるで花が咲いたようにきれいすぎませんか？」

ハルモニの気持ちが少しほぐれたようだったので冗談を言ってみた。ハルモニはちらっとこちらを見て笑いたいのを堪えながら絵の下にタイトルを書き入れた。「意地悪な先生」と書いて、ニコニコ笑いながら私の表情を探る。

「ウウ、ハルモニ、こんなに大事な絵にこんなタイトルつけるなんて」

泣きまねをする私を見て姜ハルモニは顔をくしゃくしゃにして声を上げて笑った。

結局、美術の時間には金順徳ハルモニと姜徳景ハルモニの二人だけが残った。心象表現の授業を始めて良い意味での変化はあったが、その後もハルモニたちが自発的に自身を表現する絵はなかなか出て来なかった。姜ハルモニは「悔しくてたまらない」と「意地悪な先生」を描いた後、心象表現授業に対して少し抵抗感が薄れたようだったが、一人でものを描いて幸福を味わう時間が続いたため、私が計画した授業はなかなか進まなかった。金ハルモニは「一片丹心」を描いて自身の一生を顧みる特別な経験をしたが、絵を描くこと自体に自信を持てたわけではなかった。独立心の強い姜ハルモニとは違って金ハルモニは依存心が強い方だったので、常に傍らで対話しながら指導しなければならなかった。金ハルモニには具体的な素材が必要だった。そこで、考えただけでも気分が良くなって楽になるものを何か思い浮かべて、それを描いてみましょうと提案した。ハルモニは空と地、海、雲、カモメ、畑、犬2匹を羅列し図式化された絵を描いた。私はそれが金ハルモニの心の中に刻印された故郷の原形であることを悟り、故郷が、ハルモニが絵で表現できる重要なテーマになるだろうと思った。

人は、母親を通した生物学的な誕生後、故郷という地理的な土台の上で成長する。そのため故郷と母親は原初的な懐かしさや情が染みこんだ対象だ。しかし日本軍性奴隷制被害者たちにとって故郷は、普通の人たちとは違って、悲しいことが始まった場所である可能性が高いため、ハルモニたちがこのテーマをどう表現するのかとても気になったが、慎重に扱うべきテーマでもあった。

再び美術の時間が訪れた。幼い頃を過ごした故郷と家族を描いてみようという提案に、二人はそれぞれ故郷に向けて走っていくかのように瞳を瞬かせた。まず姜ハルモニが竹を描き始めた。普段から写実的な表現に強い探究心を示す姜ハルモニらしく、竹に深い関心を示し、竹の葉をどう表現すればいいかを知りたがった。竹やぶが完成すると、その前を流れる川を描き、右上には階段のある小さなあずま屋を描いた。ハルモニは竹の描写と遠近法に神経を使って絵を仕上げた。

「私の故郷は晋州《チンジュ》なの。道が見えないくらい竹がうっそうと生えてた。この川は南江《ナムガン》で、この橋を渡ると矗石楼《チョクソンヌ》に上る道があるの。その前で論介《ノンゲ》が川に身を投じて死んだの」

姜ハルモニが一息ついた隙に、絵を描いていた金ハルモニが口を挟んだ。

「あ、あの有名な技生の論介でしょ？　日本軍の大将を抱いて飛び降りて死んだっていう……」

金ハルモニが得意になって説明した。

「ハルモニ、よくご存じですね」

「当たり前よ、朝鮮人ならみんな知ってなきゃ。私は学校には行ってないけど、これくらいのことは知ってるよ」

金ハルモニが明るく話した。論介の話に励まされた姜ハルモニが故郷の晋州に対する愛を表明した。論介が敵将を離さないために指輪を何個はめていたとか、人の命は一つしかないのに敵将を殺すために自分の命をささげたのは尋常ではないとか、そんなふうに論介の話を続けた。

しかし、姜ハルモニが故郷というテーマを通して個人史を語ることを期待していた私は少しがっかりした。私の期待をよそに、ハルモニの絵には故郷の地理的な情報が盛り込まれているだけで、ハルモニの個人史はなかった。姜ハルモニは、たくさんあったであろう幼い頃の思い出の中から、家族ではなく竹を選択したのだ。空に向かって垂直に伸びた竹は剛直で気品を感じさせる素材だ。季節を問わず青々としており、とりわけ冬の寒さにも青い葉をつけていることから、意志を曲げない高潔な君子の人格に例えられ、変わらぬ節操と気概の象徴として朝鮮のソンビ［訳注：朝鮮時代、学識があり礼節を守り権力を貪らない高潔な人柄を持った人に対して用いられた呼称］たちに愛されてきた。

　もしかしたら姜ハルモニは幼い頃の故郷や家族について他の人に知らせたくないか、あるいは直視したくない気持ちを持っているのかもしれない。それで自分とは直接関係のない竹や南江、矗石楼などを描いたのではないか。一方で、姜ハルモニが節操や気概を象徴する竹と論介を思い浮かべたことには深い意味を感じた。自身を防御するために選択したその素材たちを通して何かを語りたいと思っていたのかもしれないと思うのだ。かつて自分に後ろ指さした故郷の人々に、日本軍の性奴隷にされたことは自身の過ちではないと、そして今からでもその真相をはっきりさせなければならないと、論介のような気迫で言いたかったのかもしれない。さげすまれる技生だったが、祖国のために勇ましい死を選んだ論介を歴史が評価しているように、ハルモニも水曜デモに参加するため日本大使館前に行くたびに論介の気概を思い浮かべていたのかもしれない。ハルモニが初めて水曜デモに参加して以来、竹のような固い

意志を示してきたように、雨の日も、雪の日も、固く閉ざされた日本大使館の鉄扉の前に立って力強く叫んできた姿を見ると、ハルモニは竹のある「故郷」を描くことで自らの固い意志を表現したかったのではないかと思うのだ。

私は、姜ハルモニに幼い頃に暮らしていた家や家族を描いてみようと持ちかけた。家を描くことでハルモニの幼い頃の家庭生活や母親への思いが出て来るかもしれないと期待したからだった。ハルモニは、藁葺きの家と家の前の木を丁寧に描いた後、遠くに大きな山を描いた。それから家の脇の道を描き、雪の降る風景を描きたいが失敗しそうで怖い、筆で雪を描くのは難しいと言った。私はお風呂場からクシと歯ブラシを持って来た。白い絵の具を歯ブラシにつけて櫛にこすりつけたら絵の上に雪が降ると説明すると、姜ハルモニは不思議そうに子どものような笑みを浮かべ、クシに歯ブラシをこすりつけた。空から米粉のような雪が舞い降りた。白の絵の具をもっとたくさんつけてクシにもっと強くこすりつけたら大雪が降ると言ったが、これくらいでじゅうぶんだと言って絵を仕上げた。姜ハルモニは何事にも初めは慎重だった。

「昔はおばあさんと私と二人で暮らしてたの。ここに踏み石があって、私の靴とおばあさんの靴があって、カメもあった。家の裏にはミツバ

チの巣箱もあったのよ。この前は家畜がいたところよ。暮らし向きはいい方だったの」

ハルモニはぼんやりと浮かぶ昔の情景を逃すまいと、明るくしっかりとしたまなざしで一つ一つ確かめるように説明した。絵の下段中央に、雪の積もった家が一軒描かれていた。その下には強くて華やかなタッチで木々が描かれ、まるで家が木の後ろに隠れているように見えた。姜ハルモニは今度も木を描いて、自身の強い信念と意思をあらわしたが、荒涼とした冬景色の中の木々はむしろ寂しそうに見えた。門扉のない藁葺きの家は外の世界と遮断されている感じで、冬なのに煙突も見えずいっそう寂しさを際立たせていた。道は、世の中とつながることを望んでいないかのように家の脇にずれており、屏風のように描かれた山とつながっていた。踏み石の上に置かれた2足の靴がかろうじて寂しい絵に温かみを与えていた。

姜徳景ハルモニの話によると、国を奪われ皆が苦しく暮らしていた時代に、幼い徳景の祖母は土地を持っていたので幸い暮らしには事欠かず、並々ならぬ教育熱で徳景を学校に送ったという。その

頃、高等教育を受けられる女子は極わずかだった。父親がなく母方の祖母と暮らしていたという話から、徳景の幼い頃は家父長的な雰囲気からある程度自由で、兄弟間の差別のようなものも経験せずに一人娘として大切に育てられたのだろうということがわかった。それは姜ハルモニが生涯守ってきたプライドの基礎となり、ハルモニはそれを木の力強い姿でしばしば表現していた。しかし、父親が早くに亡くなり母親が再婚したために、徳景は寂しくて孤独な幼少期を送った。祖母が面倒を見てくれたが、完璧に父母の代わりをすることはできなかった。孤独は運命のように始まったのだ。だから姜ハルモニが描く故郷の家は、全体的に静かで寂しく、やや防御的で独立的だった。姜ハルモニの故郷の家の絵は2回で終わった。故郷を思い出したくない事情があるのか、姜ハルモニは故郷についてそれ以上深く扱おうとしなかった。

一方、金順徳ハルモニにとって「故郷」は特別なテーマだった。幼い頃の故郷を描くことは、ハルモニの絵の上達にとっても重要なきっかけになった。しかし、姜ハルモニ同様に金ハルモニも故郷に関する話をすべてあらわしはしなかった。

金ハルモニは、青い絵の具で画用紙の一番上に長方形の空を描き、下には茶色の四角い地面を描いた。そして空の真下に鳥を、真ん中に竹の葉と根を描き、左にはミツバチの巣箱を、右

側には人を描いた。極めて単純に描かれたその絵は、空間に対する認識がまだない子どもの絵のように遠近法を無視したもので、象徴性を重視するエジプト美術に似ていた。

「昔の私の家にもミツバチの巣箱があったし、家の裏には竹もあったんだよ。遠くの空には鳥が飛んでたし」

「姉さん、空と地面がどうして長い四角なの？　鳥も青い空を飛んでなきゃだめなのに、空の下を飛んでるじゃない」

姜ハルモニがこう言うと、金ハルモニは「どうして？　空とか地面はこういうものじゃない。変かな？　私が間違ってる？」と急におどおどし始めた。

「絵に間違いなんてないですよ。面白ければいいんです。ハルモニ、でもどうして少女は後ろ姿なんですか」

「あ、それは私が空を飛ぶカモメを見ているからよ」

ハルモニはすんなりと答えた。

絵の中の少女が見つめているところには、本当にカモメが飛んでいた。金順徳ハルモニが実際にカモメを見たのは17歳の時だった。幼い順徳は日本の工場に金を稼ぎに行くために故郷を発つ前まで、慶尚南道宜寧郡《キョンサンナムドウィリョングン》の智異山《チリサン》の麓に住んでいた。海など一度も見たことがなかった順徳は、海の上を飛ぶカモメが珍しくてしかたなかった。その時に見たカモメの姿が若き順徳

の心の中に刻まれたのだろう。その絵は故郷をテーマにした絵ではあったが、単に幼い頃の故郷を表現したというよりも、日本軍の性奴隷にされて、帰国した順徳が帰ることのできなかった故郷を、少女の後ろ姿とカモメで比喩して表現したのではないかと思われた。私は、絵の中の少女が気になった。手足がない上に後ろ姿で描かれていて否定的な感じを与えた。もちろん金ハルモニは人物を描くことに自信が持てていなかったが、そのせいではないように思えたのだ。特に絵の中央に描かれた葉と茎の節、根まで細かく描写した木と比べると、少女の後ろ姿だけを描いたことには何らかの意図があるように思えた。しかしハルモニはなぜ少女を後ろ姿で描いたのか、きちんと説明はできない。単に人物表現が苦手なだけなのか、あるいは自由を剝奪された無力感を手足のない後ろ姿で表現したのか、確実に判断することは難しかった。

姜ハルモニと同様に、幼い頃に暮らした家と家族を描いてみようと提案すると、金ハルモニは「昔の我が家」を描いた。家が画用紙の中央にあり、山と木が屏風のように囲んでおり、安全に保護されている印象を与える。依然として絵に自信がないようには見えるが、これまでの絵よりも空間に対する理解が深まり、表現と描写も一段と良くなった。しかし、この絵にも人が暮らしている形跡はなかった。

金ハルモニの話によると、ハルモニには両親と兄弟姉妹がいた。智異山の麓で暮らしながら、父親がたばこを栽培し、母親は山菜やキノコを採って生計を維持していた。父親がいた頃はそれでもなんとか暮らしていたが、ある日突然、不幸が一家を襲った。長い帯剣を下げた日本の巡査たちが門を開けて入って来た時、家族全員が刀の前でブルブル震えた。巡査たちは供出をきちんとしていない、たばこを隠したと言って父親を連行していった。数日後、父親は拷問で満身創痍《そうい》になって帰って来たが、まもなく拷問の後遺症で亡くなった。その後、暮らしは厳しくなり貧困にあえいだ末に家族はバラバラになった。順徳も、奉公に出た。そんな順徳に、工場に就職させてあげるという言葉は一縷《いちる》の光明のように感じられた。こうして順徳は金を稼ぐために、多くの朝鮮の娘たちと共に船に乗った。金ハルモニは不幸が始まった時点を消そうとするかのように、家族を描きたがらなかった。代わりに動物を描いた。ひよこ2羽を懐に抱く母鶏が母親に、遠巻きにしている犬が父親に見えた。

「うちの裏にはミツバチの巣があって木もたくさんあったのよ。山の中で暮らしてたから。鶏もいるし、犬もいたし。黄色いひよこが母鶏の羽の下に隠れていて出て来たり。母鶏が卵を産

むとうれしくてねぇ。昔は卵が本当に貴重だったから。今はいくらでもあるけど。この前で犬が無邪気に遊んでたのよ」

金ハルモニはかわいい動物たちの話をする時、満面に笑みを浮かべた。

金ハルモニにとって鶏はよく描く絵の素材で特別な存在だった。初めのうちは、生涯卵を産み続け、死んだ後でも人のために身をささげる鶏の犠牲を哀れに思っているように見えた。ところがある日、ハルモニは絵を描きながら、幼い頃に家族のために尽くしてくれたありがたい鶏の一生が、生涯身を粉にして働いてきた自分の人生とあまり変わらないことに気づき、その後は鶏と自分を同一視するようになった。その後、金ハルモニは自身を鶏に比喩したような絵をよく描いた。休みなく動く鶏の特徴が自分と似ていると強調することもあった。鶏は、ハルモニの絵の中に入り、2羽のひよこを温かく抱く母鶏の姿となって、画用紙の上に頻繁にあらわれた。私は、それがハルモニの心の奥深く秘められた家族に対する無意識の表現であることにすぐに気づいた。ハルモニは子どもを三人産んだが、戦争の最中に幼い

娘を失くし、息子二人を育てた。性奴隷の苦難を経て戦争の恐怖から生還したハルモニにとって、自分が産んだ二人の息子に対する愛着は絶対的だった。母鶏がひよこ2羽を抱いている絵は、ただの鶏の絵ではなかった。動物で表現された、その家族の絵は金ハルモニ自身の幼い頃の家族ではなく、ハルモニが心の中に常に大切にしまっていた、ハルモニ自身がつくった家族の絵のようだった。

姜ハルモニも、金ハルモニも、故郷と純粋だった幼い頃を、絵を通して美しく渇望したが、最も近い家族をその中に描くことはできなかった。家族や故郷の人々と何か問題があり、今に至るまでその問題を解くことができずに回避して生きて来たためである可能性が高かった。従って、長い歳月が流れたとはいえ、幼い頃の家族の絵を描いてみようという私の提案がすぐには受け入れられなかったのではないだろうか。ハルモニたちが何かを見破られまいと目を背けるのも当然だったように思う。ハルモニたちが取り出したがらないデリケートな問題にどうアプローチすればいいのか、悩みは深まるばかりだった。しかし、私にできることがあまりないことはわかっていた。いつかはハルモニたちが自分の話を描く日が来るだろうと待つしかなかった。

数週間後、私はハルモニたちにもう少し積極的なテーマを投げかけた。「怖れ」をテーマに絵を描いてみようと提案したのだ。すると姜徳景ハルモニは自分の話は避けてまったく違う絵

を描き、金順徳ハルモニはもう一つの家を描いた。

「これはお姉さんの家に隠れていた時のことを描いたんだけど、戦争でまた連れて行かれるんじゃないかと思って怖くて家の中に隠れてたの。本当に怖かった。アイゴー、膝がガクガク、髪の毛が逆立っちゃって……」

話をする金ハルモニの顔はこわばっていた。絵にはハルモニの恐れる気持ちがそのまま表現されていた。出入り口を描かないことで外部からの他者の接近を防いでいる。小さな窓も格子窓になっていて窓から人が侵入することもできない。竹が家を囲んで守ってはいるが、根が飛び出していて不安な気持ちがうかがえる。外部から家に至る道は、家に接近しにくいように後方に遠く距離を置いて描かれている。恐れおののく姉妹に腕がないのは、緊急な状況に適切に対処できないくらい萎縮していることを表している。金ハルモニは依然として人物を児童画のように描いた。性もわからず、目鼻立ちもわからない。髪の毛は恐怖から逆立っており、腕もない。一種の退行状態で、恐怖ゆえに子どもの不安な気持ちに戻っていることを意味していた。

悪い手

いつの頃からか姜徳景ハルモニが宿題として描いてくる絵に変化が起きていた。周辺にある物を描くのではなく、違う種類の絵を見せてくれるようになったのだ。胸が高鳴った。姜ハルモニが新しい美術の授業を心から受け入れていると感じられたからだ。以前の絵では見ることができなかった、ハルモニの人生で意味のある具体的な象徴があらわれ始めた。

絵には黄土色の大きな手が縛りつけられていた。その手の上に小さな鳥が止まり手の甲をつついて傷をつけている。絵の背景となる赤い空には、感情を乗せて素早く塗った灰色のタッチが混ざっていた。

「この小さな鳥は私なの。鳥がつらくて寂しくて手をつついているの……」

ハルモニは言葉を濁した。

「ハルモニ、こないだの『深い山中の雁の群れ』でも鳥を描いてましたよね。今度は小さな鳥が主人公ですね。鳥が好きなんですか」
「青い空を自由に飛ぶのを見ると気持ちが良くなるの」
ハルモニは鳥がとても好きだった。自由を剝奪されて慰安所に囚われていた少女は、空を飛ぶ鳥を見ながら自由を渇望したのではないだろうか。日本軍の性奴隷として囚われていた時、小さな鳥になることを夢見たハルモニの願いが紙の上に刻まれた。ところが自由に飛んでいるべき鳥が羽を降ろして大きな手の上に止まりつついて攻撃していた。絵について説明しかけてやめたハルモニの表情が少し変だった。私は、絵に描かれた大きな手が日本軍人の手だとわかった。その頃までハルモニは美術の授業で「日本軍」という単語を口にすることはなかった。「寂しくて」というタイトルのこの絵は、姜ハルモニが初めて日本軍を表現した絵だったが、ハルモニはまだそのことを言葉で表現することはできなかった。

時間がたつにつれて、ハルモニは自分で新しい技法を実験し、自分の考えをもう少し自由に絵で表現するようになった。次の美術の時間に、ハルモニは心象表現で最も重要な絵を描いて待っていた。

「美術の先生、私の気持ちをそのまま描いてみたんだけど……」と言いながら絵を見せて、私の反応をうかがった。

「わー、ハルモニ！　これは本当に、本当にすごいです」

私はついに待っていた時が来たと思った。ハルモニの心の中に閉じ込められていた物語が、絵を通して外に出てきていた。

「ハルモニ、ここの少女を捕まえている赤いもの、これは何ですか」

「お化けが肩に取りついて離れないってよく言うじゃない。悪い鬼よ」

ハルモニの声が少し高くなった。

「少女を囲んだこの紫色を見てください。少女の不安な気持ちがすごく伝わって来ます。よくこんな色を使う発想をしましたね。本当に、本当にすごいです、ハルモニ！」

美術の先生の興奮気味の称賛に、姜ハルモニは笑みを浮かべた。

絵の中の少女は、赤い悪鬼に捕まって、立つことも、寝そべることもできずに斜めに傾いて立っている。チマ・チョゴリを着た後ろ姿からして、少女はお化けを正面に抱えている格好だ。驚きと不安な気持ちがややくすんだ紫色になって少女を取り囲んでいる。いくら切り離そうとしても永遠に取りついて離れない赤い悪鬼は、ハルモニの人生を根こそぎ壊した日本軍の亡霊だった。くしくもその悪鬼の形は男性の性器に似ていた。少女の上に描かれた虹はハルモニの人生をあらわす一方で、女性性器の曲線を連想させた。虹の真ん中にある×型の赤い傷たちは、日本軍によってつけられた傷を意味していた。絵は、男性が女性を攻撃しているように見える。それは、姜ハルモニが性奴隷にされた自身の境遇を無意識に表現しているように見えた。ハルモニの発展には毎回驚かされた。この絵が重要な意味を持つのは、姜ハルモニが自ら日本軍性奴隷制問題を本格的に表現し始めた絵であり、美術的にも自身の世界を見事に表現し目を見張る発展を遂げた絵だからだ。私は、それまでの努力が方向性を見失うことなく、目標に向かって着実に進んでいる手応えを感じた。

授業が終わって、私は姜ハルモニのスケッチブックを見た。以前、ハルモニが描いた手の絵を広げてそっと聞いてみた。

「ハルモニ、この大きな手が赤い悪鬼の手なんですか」

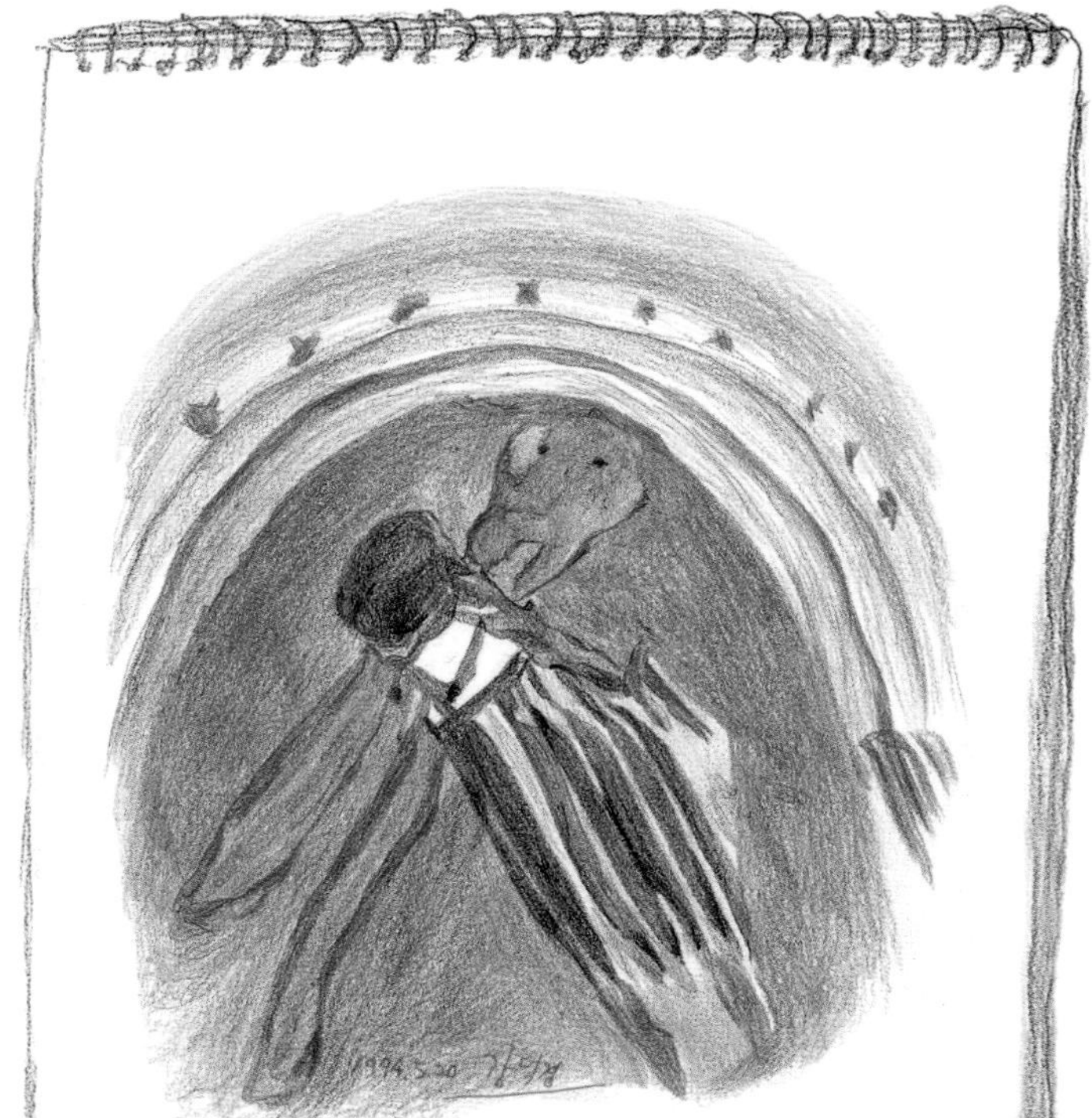

「そうだよ。悪い手だよ、悪い手」

パレットと筆を片づけていたハルモニがうなずきながら強い口調で言った。

心象表現を始めた時の予想どおり、この授業は姜ハルモニにとってどうしても必要で重要な過程だった。それまでさまざまな技法を学び、何を描くか目標がはっきりしてくると、初期に震えていた線や曖昧だった筆のタッチが正確で自由になった。姜ハルモニは心象表現を通して自身の内面に向けて一歩ずつ近づいていた。

後ろ姿

金順徳ハルモニは、貧しかったけれども懐かしい幼少時代と故郷を描く過程で、自分だけの素朴で真面目な線をつくっていった。ハルモニが「怖れ」というテーマを絵に描いた後、私は勇気が生まれて積極的にテーマを提案した。

「ハルモニ、今まで生きてきてひどい目にも遭ってとっても苦労してこられましたよね」

「アイゴー、言葉にはできないよ。苦労という苦労はとことんやってきたんだから」

「それじゃあ、そのたくさんのことの中で、一番驚いたことを一つ描いてみましょうか」

金ハルモニはしばらく目を閉じて考えにふけっていたかと思うと、目を開けて答えた。

「でも美術の先生、そのためには人をたくさん、たくさん描かなきゃいけないんだけど、私は人の絵が描けないじゃない」

ハルモニは心配そうな表情で言った。

「ハルモニ、うまいか下手かは重要ではないんです。点を一つ打って『これが人だ』と言えば、人になるんです。『一片丹心《イルピョンタンシム》』の時に上手にできたじゃないですか」

ハルモニは、この言葉に勇気を得てすぐに絵を描き始めた。画用紙の下段に大きな筆で小豆粥のような茶色の塊を濃く塗った後、眉間にしわを寄せて深くため息をついた。そしてしばらくして上段に黒い絵の具で非定型な長い船を描いた。

「アイゴー、船のつもりで描いたけど、ちっとも船みたいじゃないよ」

ハルモニは困った顔をした。

「ここの真ん中の長い線が帆ですよね？　私はちょっと見ただけで船に見えますけど」

ハルモニは、船に見えるという私を不思議そうに見て肩をすくめたかと思うと、今度は黒い絵の具で船から下りる人々を描いた。

「ここからこうやって、こうやって、歩いて降りるのよ」

ハルモニは、絵では不十分に思える部分を動作交じりで説明した。そして余白を赤茶色で塗り、その上にサナギのような、または雪だるまのような形状を紙一面にたくさん描き始めた。

ハルモニは突然言葉がなくなり、顔からは笑顔も消えた。少し前までうまく描けなかった部分を自分で判断して言葉と身ぶりで補完しようとしていたハルモニが、もう一言も発することなく絵に集中していた。「一片丹心」を描いた時のように、何かに取りつかれたかのように、ハルモニのまなざしが真剣になっていった。普段の授業だったらもう何回も助けてほしいと言っていただろうに、今日は違っていた。私は今日、重要な絵がまた一つできそうだと期待した。

「この上にあるのはすごく大きな船なの。生まれて初めてあんな大きな船を見たよ。どこに行くのかもわからずに、何日も暗い船底にいたの。山奥で暮らしていて初めて船に乗ったもんだから船酔いしちゃって、何も食べてもいないのに全部吐いてしまって力が全部抜けて死人みたいに倒れ込んだままだった。他の人もみんな同じ。どれくらい行ったかわからないけど、ある日出て来いって言うのよ。どこなのかもわからないまま前の人について出たよ。ナラビして（並んで）……。女たちが本当にいっぱいいたよ。誰かにここはどこって聞いたら中国の上海だって。でもね、出てみたら下が海なんだけど何か色が変なのよ。『どうして青くなくて赤いんだろう?』ってよく見たら、その下に人が死んで積み重なってたんだよ。アイゴー、怖いよ……。人があんなにたくさん死んでるのを初めて見たよ」

金ハルモニは、つい昨日のことのように生々しく記憶がよみがえっているのか、震える声で両手を虚空に舞わせながら語った。ハルモニの話に驚いたのは私も同じだった。これまでハルモニが描いた絵はほとんどが幼い頃に遊んだ故郷の自然を懐かしんで描いたものだったので、こんなふうに心の中に隠していた話を絵にするとはまったく予想できていなかったからだ。

金ハルモニの説明どおり、その絵は慰安所に連れて行かれる直前の1937年、戦争の傷跡が生々しかった上海の埠頭を描いたものだった。砲弾がかすめ飛び、数多くの生命を奪っていった場に、金を稼ごうと故郷を発って来た幼い順徳と朝鮮の娘たちが降り立っていた。順徳は、自分がどこに連れて行かれるのかまだ知らない。大勢の人が一気に死んだ現場を目撃した17歳の田舎娘は、その阿鼻《あび》叫喚の先に慰安所という地獄があることも知らずに、戦場のど真ん中へと徒歩で入っていった。黒い点と線で描かれた一群、絵では彼らだけが生きている人々だ。絵全体に雪だるまの形で引かれた線たちはすべて死んで倒れている人々だった。魂が抜けたその人々は線だけで残されたのだ。17歳の少女の驚きは長い歳月、心の中に深く沈められていたが、美術の時間に点と線で描かれた。ハルモニには言葉で表現できない恐怖の記憶だった。

一カ月後、金ハルモニが再び意義深い絵を描いた。絵のテーマは、ハルモニが暮らした故郷の村だった。それまでハルモニは故郷をテーマにたくさんの絵を描いていたので、私はまた故郷を描いているのだなと、特別なことではないと思い込んでいた。ところが、絵が完成に向かうにつれ、これまでの絵とは画然と違うものが感じられた。美術的に大きな発展が遂げられただけでなく、内容も非常に意味深長だったのだ。

「ハルモニ、どうして急にこういう絵を描いたんですか」

ハルモニは楽しそうに明るく笑いながら答えた。

「この絵のタイトルは『田舎の家』っていうんだけど、豊山《プンサン》郡徳川面《トッチョンミョン》時代の私の家よ。村の家にはみんな庭のカメ置き場の横に桃の木が植えられてたんだよ」

絵には二人の娘が描かれていた。彼女たちの姿が最初に目に入ったのだが、やはり後ろ姿だった。ハルモニが再び人の姿を描いたのを見て、私は故郷に対するハルモニの最初の絵に登場した後ろ姿の少女を思い出した。

「ハルモニ、この二人の少女の話をしてください。二人は友だちなんですか」

「いいや、二人とも私よ」

「姉さん、どうして後ろ姿なの？」

姜徳景ハルモニが聞いた。

「遠くに行っちゃったから。それからまだ家に入ってないから、こういうふうに描いたのよ」

絵には、小さな家が集まった平凡な田舎の村が描かれていた。金ハルモニの表現どおり、少女たちは二人とも幼い順徳だった。左側の順徳は村の外にいた。遠い空を飛ぶカモメを眺めながら故郷に背を向け、金を稼ぎに工場へと発つ準備をしている。一人で遠くに旅立たなければならない順徳の恐れや孤独をあらわすかのように、鳥が3羽、順徳の近くにある木の枝にとまっている。世の中へとつながる道はまるで地図のように家から遠く山向こうまで子細に連

なっている。家を出て来た少女が帰る道を忘れるのではないかと心配しているのか、細かくよく描かれている。そして右側の家の庭に、もう一人の順徳が立っている。家を出た順徳は、帰る道を忘れることなく、懐かしい故郷の家に帰って来たが、家の中に入ることができずに庭に立っている。工場で働いて稼いだお金で家族に贅沢をさせる夢は、もうずいぶん前に蜃気楼《しんきろう》のように消えてしまった。順徳は、戦場で死なずに故郷に帰って来たが、許されない大きな過ちを犯した罪人のような気がして、家に入ることができないのだ。一人大きな秘密を抱えた順徳は後ろ姿で、庭に黒い古木のように立っていた。

この絵は、金ハルモニが向き合わなければならない残酷な過去の一片だった。「上海で」を描いた後、ハルモニが自身の過去を率直に見つめ直すようになってから初めて描いた絵だった。日本軍の性奴隷として連行された女性たちの多くは、家に帰った後も家族との関係に苦しんだ。彼女たちは、地獄のような慰安所で母と故郷を思い描き必死に生き抜いた。そして戦争が終わった後、命

がけで故郷に帰って来た。彼女たちが帰れる場所は、懐かしい故郷しかなかった。しかし、再会の喜びは一瞬だけだった。故郷の人々は、彼女たちが慰安所で日本軍にひどいことをされたのだと耳打ちし合った。羞恥心から、本人だけでなく、家族も顔を上げて歩くことができなくなった。結局、家族、実の母親にさえ歓迎されず再び故郷を後にした。ハルモニたちにとって故郷はそんな痛みの宿る場所だった。慰安所で極限の地獄を味わって来た娘を拒んだ故郷。それは、とてつもなく大きな衝撃だったに違いない。女に生まれ性奴隷にされた自分を責め、再び故郷を発たねばならない苛酷な刑罰をしかたなく受け入れたのであろう。女性の処女性を命よりも重視した家父長制社会の断面だった。絵の中の金順徳も１９３７年、慰安所に連行され１９４０年に帰国したが、羞恥心ゆえに故郷に帰ることができず、ソウルで家政婦をしたり食堂で働いたりしながら転々としていた。そして長い歳月が流れた後、再びあの頃に戻って懐かしい故郷の家の庭にたどり着いたが、戸を開けて家族に会うことはできず、庭に立っているしかない絶望的な気持ちを絵に盛り込んでいた。当時、年若い順徳が感じたであろう罪の意識が無意識のうちにあらわれたものだった。金ハルモニは、なぜ自身の後ろ姿を描いたのか言葉で正確には説明できないが、絵がすべてを物語っていた。

絵画謝罪事件

ナヌムの家が恵化洞《ヘファドン》に引っ越した。引っ越しを前後して美術の授業はしばらくお休みせざるを得なかった。授業を始めていつの間にか2年近い歳月が流れていた。ハルモニたちの絵が意味ある発展を遂げていたので、私は単なる暇つぶしではない新たな成果が期待できそうな気がして、新しい空間で絵を描く期待に胸を膨らませた。ところがちょうどそんな時に衝撃的な事件が起きたのである。

日本軍性奴隷制被害者たちの証言が世に知られた後、美術界でも日本軍性奴隷制問題を素材とする絵が展示され始めた。1992年には日本軍性奴隷制被害者たちの惨状を知らせるため挺対協が主催したイベントで、画家のチェ・ビョンスさんが描いた「帝国の犠牲になった女性たち」という絵が、1993年には「挺身隊の惨状—軍慰安婦展」(寛勲洞《クァンフンドン》、ギャラリー「ト(場)」)

でハン・ヒソンさんの作品が展示された。そして1994年、大韓民国国会挺身隊対策議員の会が主催して数名の画家が参加する「挺身隊絵画展」[6]が国会で開催された。主人公であるハルモニたちも国会の展示会に招待された。ところが、どうしたことか展示会に行って来たハルモニたちは、とても腹を立てていた。理由を尋ねると、絵が気に入らなかったと言うのだ。しかし、ハルモニたちのために開かれた場なので怒ることもできずに我慢して帰って来たのだという。一人のハルモニは恥ずかしかったと言った。また別のハルモニは腹が立つと言う。一人の傷が膿を出すと、あちらこちらから鬱憤が吐き出され、雪だるまのように固くかたまった。

　絵とはいえ、日本の軍人が女性たちを裸にしているような場面を見せられて、ハルモニたち

は再び傷ついたのだ。ついに、展示に参加した画家がハルモニを訪ねて来て謝罪する事態にまで至った。

「私たちは今まで大変な苦労をして生きて来たのに、どうしてこんなふうに侮辱することができるのか？」

ハルモニたちは声をそろえて訴えた。

「ハルモニたちを侮辱するつもりは絶対にありませんでした」

「じゃあ、どうしてあんな絵を描いたんですか？　どうして私たちを裸にして……。あれが侮辱じゃなくて何なの？」

「日本軍がどんなに悪いことをしたのか、ハルモニたちが一番よくご存じじゃありませんか。彼らの蛮行を表現しようとしたら、ああなったんです。表現しなければ日本軍がどれほどひどいことをしたか、わかってもらえないじゃないですか。絵でハルモニたちのお手伝いをしたかっただけなんです。ですからどうぞお腹立ちを収めてください」

この騒動は、画家がハルモニたちに申しわけない気持ちを伝えることで一段落した。

基礎デッサンから脱して心象表現を試み、美術の授業を積極的に変化させようとしていた時に起きたことで、美術の先生としては非常に困った。ハルモニたちは絵の中の裸体の少女と自身を同一視して羞恥心と怒りを覚えていた。美術の授業を続ける金順徳ハルモニと姜徳景ハルモニも、それに同調した。ハルモニたちが心象表現を超えて自身の傷を積極的に表現することを期待していた時だっただけに、私は一層残念で複雑な気持ちだった。今後、大きな山を越えなければならないことを予期した。

この騒動は美術の授業にも影響を与えた。今まで以上に気をつかってアプローチしなければならなくなったのだ。私は、アトリエにあった画家たちの作品集や印刷物などを持って授業に赴いた。人体に関する解剖学の本やエゴン・シーレの絵、ムンクやフリーダ・カーロの作品、彫刻家たちのヌード作品を見せながら、人間の姿を扱う画家たちのさまざまな方法について自然な形で対話するようにした。単純な対話ではあったが、画家たちが裸体を扱うのは羞恥心を超えて人間の本質を表現しようとするためだという事実に焦点を当てた。このような過程は、予防注射を打つようなものだった。どれくらいの効果があるかはわからなかったが、展示会で見た絵に対するハルモニたちの反応への私なりの処方だった。しばらくして、私は時が熟したとぼんやりとながら感じた。ハルモニたちには刺激が必要だった。そこで、日本軍性奴隷制問題をテーマにした画家たちの絵について、意を決して姜徳景ハルモニと話をしてみた。

「ハルモニ、こないだ画家たちの絵を見て腹を立てていましたよね」

「あの時は私たちを攻撃しているような気がしたから」

「今はどう思っているんですか」

「私たちのためにやったんだってことはわかるよ。でもちょっとひどくて、今考えても恥ずかしい」

「どういう表現の部分が気に入らなかったんですか」

「画家たちの絵が本当みたいにキツく見えた」

ハルモニは、ゆっくりと自分の意見を述べた。おそらく写実的な表現がハルモニの傷をえぐったのだろう。

「それじゃあ、ハルモニならこの問題をどんなふうに描きたいですか」

「私が？」

美術の授業を始めてから2年目にして日本軍性奴隷制問題を本格的に話すことになった。実際、ハルモニたち以上にこのテーマを表現できる人はいないという自覚を持ってもらうことが大事で、姜ハルモニにもできるという確信が必要な時期だった。画家のように絵を描いて展示するという発想は、ハルモニたちにはまったくなかった。そこで、日本軍性奴隷制問題をハルモニ以上によく知っている人はこの世にいないし、ハルモニの実力ならばじゅうぶんに表現できるという勇気を与えることが重要だった。しかし、姜ハルモニは画家たちと自身の絵の実力を比べて意気消沈していた。美術の先生の称賛も半信半疑だった。それでも画家たちの絵について話し合ったことは、ハルモニ自身の問題を一歩離れて客観的に見る機会になった。

結果的に「絵画謝罪事件」は、ハルモニたちにいろいろな意味で前向きな刺激になった。日本軍性奴隷制問題について直接的に腹を割って話すきっかけにもなり、ハルモニたちが画家たちのように自身の問題を描く可能性を開いてくれた。

パンツ、はかせな

日本軍性奴隷制問題を扱った画家たちの絵について姜徳景ハルモニと話し合ってから二週間ほどした時のことだった。授業の準備をしていると、姜ハルモニが小さなスケッチブックを持って何やらためらっている様子だった。目には恥ずかしそうな色が差している。

「美術の先生、私、こんなものが描きたくなったのよ」

絵を見た瞬間、ハッと息が止まり感動に包まれた。ハルモニの人生が変えられてしまった、その始発点を表現した絵だった。姜ハルモニがついに勇気を奮って、固く閉ざしていた心の扉を開ける決意をしたことが感じられた。

小さなスケッチを見て、私はハルモニのこの重要な絵を記念碑的な作品として残したいと思った。そこで、キャンバスに写して描くよう勧めた。それまで小さなスケッチブックにささやかに描いてきて、初めてキャンバスに向き合ったハルモニは緊張し、またいろいろなことを知りたがった。ハルモニは生まれて初めて、食べていくための労働ではない、ひたすら自分自身のための仕事に興奮の時間を過ごしていた。若い先生と老いた学生が二人三脚で奔走した。丹精こめてつくった純白のキャンバス。姜ハルモニは、その前に立った。

否、16歳の時に日本人の先生に勧められて拒否することができずに大きな船に乗り大海原を渡ったあの時、勤労挺身隊という名で連れて行かれ一日中飛行機工場で働きながら母親が恋しくて泣いていたあの時、ご飯三口とみそ汁と豆餅三つで命をつないだ末に脱出を試みたあの時、すぐに捕まって裸にされたあの時、あの丘の前に立っていた。張り詰めた空気が漂っていた。全身の細胞が生きていることを証明するかのように、筆を執った手先が震えた。

「ハルモニ、ちょっと待って深呼吸をしてみてください」

ハルモニは大きく息を吸い、吐く息と共に緊張感を身体の外に押し出した。それから再び全神経を集中させて慎重に、太くて黒い桜の木をキャンバスに描き始めた。斜めにかしいだ木は、倒れまいと土に必死にしがみついている。どす黒い木は、敗亡した日本軍のように少し危なっかしい状態にある。姜ハルモニは少女姜徳景の人生を根こそぎ奪っていった50年前のその場所、その木の下に再び立っていた。ハルモニは、正面から木を見据え、木と張り詰めた対峙《たいじ》をしていた。木は、ハルモニの前で剝ぎ取られぶざまな姿をさらしていたが、少女は老女になってもなお、その前で震えていた。木に赤い花びらを描き加えると、消える直前に火花を散らすろうそくのように、絵に不吉な生気が漂った。一、二歩う

しろに下がって絵を見た後、いよいよ幼い徳景を描く番になった。ハルモニはしばし思いにふけるかのように虚空に視線を置いた。

幼い徳景は、母が再婚したため母の実家で育てられたが、学校に通えるほど暮らし向きは豊かだった。食事をしたかと互いに聞き合うくらい貧しかったあの時代に、ご飯をちゃんと食べないで祖母を困らせる、頑固で、繊細で、プライドの強い子だった。日本人の先生がしっかり者だった学級委員長と徳景に、日本に行けば勉強もしながらお金も稼げると言うと、この言葉に逆らうわけにはいかず、二人は日本行きに踏み切る。しかしほどなく先生のうそにだまされたことを知り憤激することになる。しっかり者の少女二人は相談の末、工場から脱出することを決める。最初の脱出に失敗した後、二度目の脱出を敢行した。暗い夜の鉄条網をくぐり抜けて息を切らせて走り続けた。絶対に放さないことに決めた二人の手を、暗闇が引き離した。一緒に逃げて来たはずの友だちの姿は見えず、徳景は一人残されていた。暗闇に囚われた徳景は一歩も動くことができなかった。軍部隊のトラックがライトをつけて近づいて来ていた。どこかに逃げなければならないのに、足が凍りついて動かない。息が上がり心臓は破裂しそうに高鳴った。少女にとってはあまりにも長く短かったその瞬間、暗闇は銃剣を下げた暴虐な憲兵に少女の居場所を差し出した。憲兵と彼を包む黒い闇が一体になって陰険にほくそ笑む。少女は捕獲された小動物のように丘の上に連れて行かれた。助けてと何度も叫んだが、声になって出ることはなく、乾いた唇だけがパクパクと動く。死が間近に迫る恐怖に腰が抜けて、少女は動くことができない。わなにかかった鹿のように、少女が動かせるのは大きな瞳孔だけだった。これからどうなるのか、生きていけるのか死んでしまうのかもわからず恐怖におののいていた少女は、それまで味わったことのない肌を切り刻むような痛みに気が遠くなってしまった。

それから50年の歳月が流れた。すべてをあきらめて歳月をやり過ごしていた少女が、苦痛が始まったあの時点を思い起こしている。凄惨《せいさん》で胸えぐる回想だった。ハルモニになった徳景が、裸にされて幼さの残る顔を隠して泣いている若き日の徳景を描いていた。姜ハルモニの小さな痩せた後ろ姿が切なかった。しかしハルモニは絵に没頭していて頬を少し上気させてはいるが、大胆で落ち着いていた。一生懸命に絵を描いていたハルモニが突然振り返って言った。

「先生、ここがちょっと難しいんだけど」

「あ、ではスケッチブックに一度描いてみてからやりましょうか」

姜ハルモニの後ろ姿を見ながら考えにふけっていた私は、すぐに気を取り直して、手で顔を覆ってモデルになった。姜ハルモニは少女を描いた後、少し離れたところから絵を眺めた。そして、幼い自分をじっと見つめた。ハルモニの視線が少女の後ろのどこかに止まった。ハルモニは何かを振り払うかのように眉をひそめたかと思うと、再び絵の前に戻った。

いよいよコバヤシ・タテオを描く番だった。コバヤシは日本軍の憲兵だ。問題のその日の夜、彼は暗闇の中を逃げ惑う朝鮮人の少女を捕まえた。そして自分の欲情を満たした上で、軍部隊にテントを張った臨時慰安所に連れて行った。部隊内に慰安所があったにもかかわらず、軍法を破って勤労挺身隊所属の少女に性暴行を加えた上で勝手な処理をしたのだ。しかし、その夜は地獄の始まりにすぎなかった。その後、彼は自分の戦利品を扱うかのように、少女のもとを頻繁に訪ねて来た。時には服や食べ物を携えて。少女は脱出することばかり考えていた。

彼のことを考えているのだろうか。姜ハルモニはしばらく黙っていたが、木にコバヤシ・タテオを描き入れた。彼の動脈は木と一体となり、枝と根へと育っていった。帝国主義日本の亡霊のように足がいくつもついたその木は徐々に怪物になっていった。姜ハルモニは、彼の顔がうまく描けない様子だった。絵を描きながらハルモニが最も難しく感じている部分のようだった。帽子をかぶった姿が難しいと言った。私は帽子をかぶって日本軍人のモデルになった。

ハルモニが疲れてきたので休憩時間を取った。休んでいる間も姜ハルモニは地面に描く骸骨のことばかり考えていた。私はハルモニと骸骨の解剖学的な特徴について話し合い、スケッチをしてみた。そして再び絵の前に立った。絵の下の部分、地中の深いところに、日本軍の性奴隷として連行されて帰って来ることができなかった女性たちの遺骨が描かれた。

「ここにたくさん描かなきゃいけないんだけど。ちょっと空いてるでしょ?」

「ぼかしたり、濃く描いたり、重ねて描いたりしてみたらいいと思います」

絵を描いていた姜ハルモニが急に戸惑った笑みを浮かべながら心配げに言った。骸骨たちが笑っているように見えると言うのだ。

「ハルモニ、おかしくありませんよ。無念の死を遂げた少女たちが、死んでからでも友だちになってお互いに頼りあって笑うことができたらいいことじゃありませんか。私には日本軍をあざ笑っているように見えますけど」

姜ハルモニは安心した。遺骨たちは監視者となり、目のない黒い穴からすべてを見ていた。そして、私たちがどうして死んだか知っているかと語りかけていた。その声が鳴り響く。若い女性たちの血と肉が木肌を這《は》って昇っていった。彼女たちの霊魂は、彼女たちが死ぬ瞬間まで聞くことのできなかった答えを求めて木の根に沿って昇っていき、満開の桜の花に出会う。花たちに聞く。お前たちはその理由を知っているかと。純真な花たちは知らないと、自分たちはあずかり知らないことだと首を振りすぐに散ってしまった。最後に姜ハルモニは、散り落ちる花びらを描いた。絵に花の雨が降った。花たちは恥じ入るかのように顔を赤らめハラハラと落ちた。

絵を描き終えたハルモニは、全身の力を振り絞ったからなのかぐったりとしていた。しかし、掛け違えたボタンをはめ直したかのように、絵を仕上げた達成感に顔は上気していた。

姜ハルモニにとって、絵を大きなキャンバスに写し描いたその日よりも、一人で小さなスケッチブックに描いた日のほうが、実はもっと重要でしんどい日だったに違いない。おそらくハルモニは、夜通し一睡もできずに、あの日の恐怖をかみしめていたのではないだろうか。これまで必死に覆い隠してきた深淵の記憶を引っ張り出して、それを直視したハルモニは、心の奥底の深い渓谷で苦しみもがいたことだろう。か細い身体を貫いて肉を裂いた苦痛を思い起こし、自身を暴行したコバヤシ・タテオに対する殺意がこみ上げた次の瞬間、脱出のための情報を得るために彼に見せた笑顔を思い出して顔を赤らめ、彼が時々持って来る乾パンやいなりずしにプライドをかなぐり捨てて唾を飲み込んだことを思い出して当惑し、いくらおなかが空いても工場で我慢すればよかったという自責や後悔が押し寄せて……。そんなふうに、次々とこみ上げるあらゆる感情と闘っていたに違いない。

もしかしたら姜ハルモニは、夜通し身体を硬直させて、画用紙の上に線1本も描けずに鉛筆をただ握りしめていたのかもしれない。それでも、次から次へと浮かぶ問いの答えを見つけようとしながら、どのように絵で表現するかを考えたであろうし、その間にハルモニの頭の中では以前とは異なることが起きていたはずだ。これまで必死に押さえつけてきた悪夢のような記憶を、個人の感情を超えて、もう少し客観的に見つめ直したに違いない。あたかも平均台の上でバランスを取るかのように、自身を含め日本軍の性奴隷にされた数多くの女性たちが歴史の犠牲者であることを自覚した時、姜ハルモニはあの深い感情の渓谷から高い空へと舞い上がり、これまでとはまったく違う全知的な立場から事件の現場を見下ろしたのではなかったか。平衡感覚を維持して中心をつかむ、そんな過程は姜ハルモニにとって全身を揺るがすつらいことだっただろうが、その苦痛の時間はとても大切な治癒の過程でもあった。

私は、前日の夜に姜ハルモニを襲った感情の波を想像することはできても、決してハルモニの苦痛をわかることはできない。そして長い歳月、ハルモニが抱えてきた孤独をじゅうぶんに理解することもできない。しかし一人で孤独に堪える人のまなざしは、少しはわかるつもりだ。絵を描く行為も、孤独に打ち勝ち自分自身と闘う行為だから、私はハルモニを信じた。明確に説明することはできないが、初めて見た姜ハルモニのまなざしから、私は50年もの歳月、孤独と向き合ってきた人の悲しいけれどもかたくなな心構えを見た気がした。私は、姜ハルモニのその断固たるまなざしを信じた。

もしかしたら私は、もう気づいていたのかもしれない。姜ハルモニが一人で孤独に堪えてきたその力を、絵を学ぶ過程で絵に注ぎ込んでいたのだという事実を。それゆえ、ハルモニが自らのストーリーを絵で表現することを願って、ハルモニをあの桜の木の下にそっと押し出していたのかもしれない。私が本当に見たいと思っていたのは、自身の苦痛に立ち向かって闘う姜ハルモニの姿だったのではないかと思うのだ。誠実な執念と度胸で、過去のあの桜の木の下で堂々と闘うことを、そして絵を描くことでハルモニの燃え上がる心の炎が鎮まることを願うば

かりだった。悪夢がきれいに払拭されることはないであろうが、やけどの痕が残る過去であってもていねいに治癒して少しでも心の平穏が取り戻されることを期待した。

そして皆が寝静まった1995年2月のある寒い冬の夜に、姜ハルモニは恵化洞の古い韓屋の1階で、きりりと気を引き締めてその仕事をやり遂げた。両目をしっかりと見開いて、夢の中にまで追いかけてきて苦しめる怪物との死闘を繰り広げたのだ。そうして、自身が巻き込まれたあの際限のない苦痛の始まりの地点を見つけ出し、一片ずつ紙の上に注ぎ込んだ。時間は着実に流れ夜が明ける前に、姜徳景ハルモニの真の意味での最初の作品が完成した。

絵は清廉としている。ちょっと見には、ピンクの花が咲き誇る華やかな桜の絵のようにも見える。しかし、ほんの少しでも凝視すると、すべてがおかしいことに気づく。絵の中の少女は丘に横たわって泣いている。軍人の前で裸にされて顔を手で覆って泣いているということは、この少女に耐えがたい何かが起きたことを意味している。少女はもう、天真らんまんだった幼い頃に戻ることができないことに気づいている。少女は何か大切なものを失ったような感覚、羞恥心と恐怖に声を上げて泣いている。木には不吉で怪しい軍人が隠れている。彼は、少女の涙と直接的に関係している人物だ。木なのか幽霊なのかわからない根がいくつも生えた、この奇異な男は、まるで何も過ちを犯していないかのようなふりをして身体を隠している。そこは彼にとってすべての罪を許してくれる隠れ家であり、陰鬱《いんうつ》な根拠地のようだ。彼はそこに根を下ろして、泣いている少女に再び隠微な手を差し伸べる。丘の上で一人泣く少女の泣き声が哀切に響き渡る。その泣き声は地の底まで届き、無辜の死を遂げた少女たちを目覚めさせる。誰にも知られなかったはずの隠密な暴力の丘で、黒い瞳たちが一斉に目覚めるのだ。彼女たちは、木の軍人を見てあざ笑い揶揄を送る。無念のうちに死んだ少女たちの魂が木を昇り枝を揺さぶる。花びらがぱらぱらと落ちる。

戦争が長期化すると、日本軍部は兵士らの士気低下を防ぐため、1937年から本格的に慰安所を設置し、数多くの東アジアの女性たちを性奴隷として動員した。植民地朝鮮からも、多くの女性たちが連行された。少女姜徳景は16歳の時、憲兵コバヤシに捕まり慰安所に入れられた後、無数の軍人に蹂躙され、2年後、祖国が解放された年に帰国した。慰安所で起きたことは家族の誰にも知られてはならない秘密だった。徳景は沈黙した。長きにわたる重い沈黙だった。自分がなぜこんな目に遭わなければならなかったのか、この無念をどこにぶつければいいのか、見当もつかないまま絶望を抱えて独り彷徨《ほうこう》した。そして1992年、自身の苦しみが日本の帝国主義的欲望が引き起こした不当な暴力によるものであったことを公開し、初めて残酷な過去を証言して嗚咽した。長い歳月が流れてしまった後のことだった。

それゆえ自身に起きたことを絵で表現するということは、姜ハルモニにとって到底手に負えないことだった。性暴力の被害、そしてその後の人生まで根こそぎめちゃくちゃにされた恨《ハン》を

どのように絵で表現すればいいのか、それが最初の宿題だった。傷があまりにも深すぎて線も引けないまま、悔しさと怒りのため息をついた時に、日本の象徴である桜の木が思い浮かんだのだろう。そして画用紙に線を引き始めたのだ。それからコバヤシ・タテオを桜の木の中に閉じ込めて象徴にしたに違いない。この二つは、引き離すことのできない一体なのだから。こうして、木に埋め込まれた奇妙な軍人は、アジア太平洋戦争の狂気を象徴することになった。コバヤシ・タテオは、姜徳景に直接加害した主体であり、帝国主義の狂気を代表する人物になった。

次に、ハルモニは少女徳景を描いた。死の恐怖の中で性暴力を受けた自分自身を描くのである。顔はどんなふうに描こうか、身体はどんな姿勢に描くのがいいか、服はどのように描こうか、あの時の苦痛はどう表現すればいいのか、あらゆる考えが巡ったであろう。そして結局、一糸まとわぬ裸の少女を描いた。それは本当に驚くべき発展だった。ハルモニはほんの少し前まで、日本軍性奴隷を描写した画家たちの絵を見て自分たちを辱めていると言い、他のハルモニたちと一緒に怒っていたのだから。もしもハルモニが裸体の絵を恥ずかしいと思って、幼い頃に着ていたチマ・チョゴリや工場で着ていた服を描いたと仮定してみよう。少女が性暴力に対して感じた恐怖を絵で表現しながら身体を布切れで隠したとしたら、おそらく伝わる感動は少なくなったのではないだろうか。少女の裸体は、怒りと恥辱を表現する必須条件だったはずだ。姜ハルモニは深い省察を通してその事実に気づいたのだ。そして、あらがうことのできない圧倒的な暴力に対抗して少女が本能的に流した幼子《おさなご》の涙を描いた。また、軍服を顎の下まできちんと締めて着た日本軍人と裸の少女を対比して描くことで、彼らの関係の本質を見事に表現した。

　コバヤシ・タテオに対する姜ハルモニの立場は、少し複雑だった。彼は、姜ハルモニを地獄に引きずり落とした張本人である。初潮もまだ見ぬ少女に対する最初の性暴力は、集団レイプへとつながっていった。肉体的、精神的苦痛をなめたハルモニは、意識的、無意識的に男性を拒否し、結婚も拒否した。

　姜ハルモニの三つ目の宿題は、コバヤシ・タテオが自分を性的に暴行した状況を描くこと

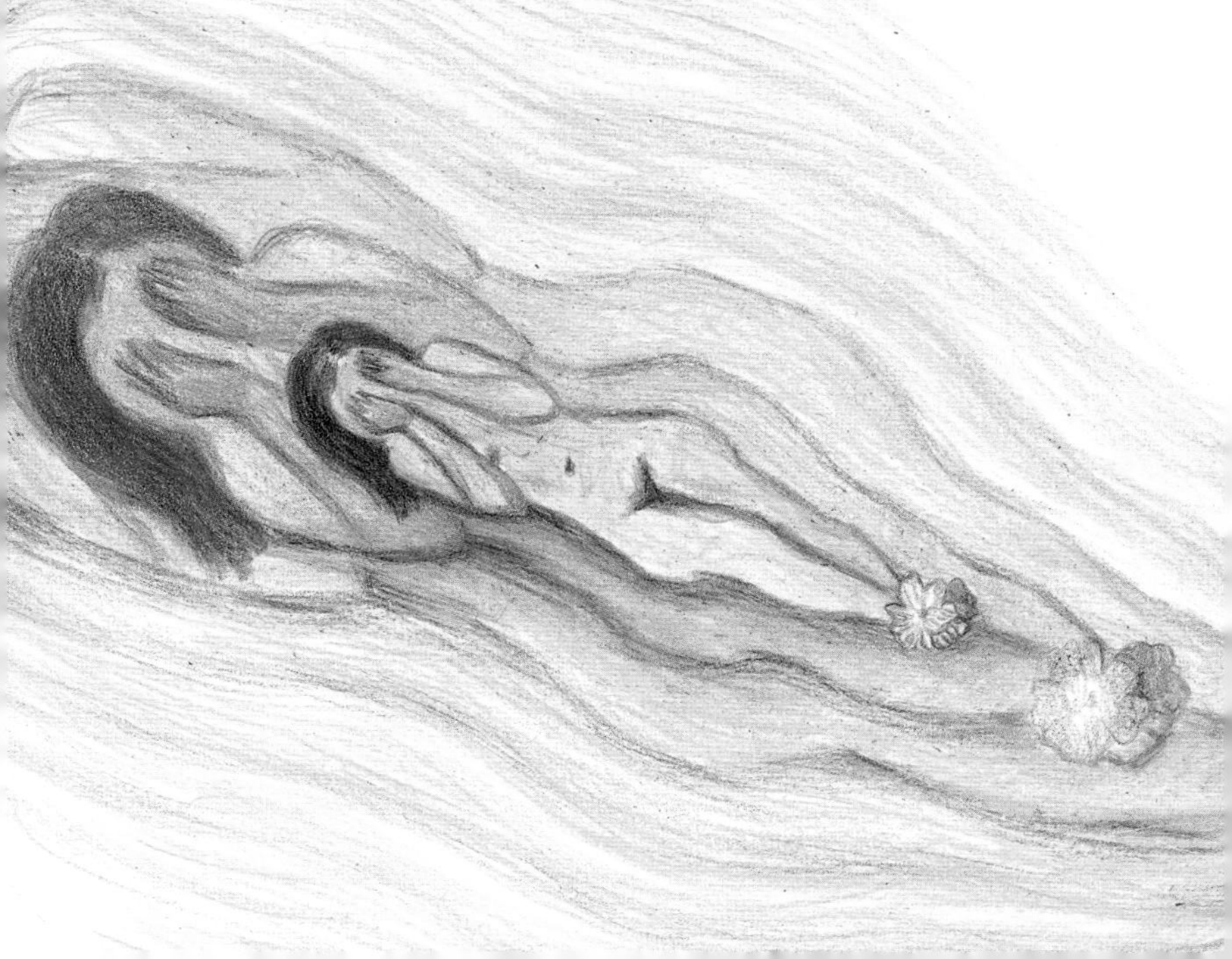

だった。ところが絵の中で、彼は過激ではない。徳景に差し伸べられたコバヤシ・タテオの隠微な手は、慰めようとするかのように親切なものに見えさえする。実際に彼は、自身の過ちに対する一抹の良心ゆえか、あるいは本当に愛するようになったためか、徳景のもとをしばしば訪れ食べ物や服などをくれたし、こまごまと親切にしてくれた。彼が徳景にどのような思いを抱いていたかはわからないが、いずれにしても、彼に対する徳景の感情は、加害者に同化するいわゆるストックホルム症候群のようなものではなかったと思われる。その地獄から脱出するためには彼の助けが絶対的に必要だったのだ。そこで徳景は情報を得るために彼にだけは言葉もかけ親密な態度をとった。

絵の中でコバヤシの手が過激に見えないのは、姜ハルモニの頭の中に刻印された彼のイメージのせいだろう。姜ハルモニは、最初の性暴力以後に形成された二人の関係を無意識のうちに圧縮して表現したのではないかと思う。従ってその手は、その後に続く蹂躙を予告すると同時に、無責任な親切を内包している。そしてその手は、絵の位置からすれば、男性の手であると同時に性器でもあるという二重の意味を持つ。

姜ハルモニは、少女徳景が経験した不幸な事件を、ある個人の恐ろしい経験として表現することを超えて、日本軍性奴隷制の全貌と構造を圧縮的に語ることによって、この問題を克服しようとする意志を示した。絵には戦線が形成されている。絵の中の丘は、帝国主義の本丸である日本の地だ。日本軍の暴力によって性奴隷とされた少女と恨《ハン》多き霊魂たちが対峙している。言うまでもなく、その闘いにおいて女性たちは無残に死ぬか蹂躙された。姜ハルモニは、年若い頃に何もわからないまま陥った被害者としての受動的な生を断ち切り、被害に積極的に対処する能動的な姿を描きたがった。そこで、徳景の切実な涙が、犠牲になった性奴隷被害者たちの霊魂を揺さぶり起こして力を合わせ、桜の木を立ち上り花を落とし木を倒すという循環的な構造の物語をつくったのだ。それが、彼らの物理的な暴力に対する防御として力のない少女たちが唯一持つことのできる心理的な武器だった。

心理的な武器は姜ハルモニの絵の最も強い特徴だ。山河や草木、人、動物、さらに石のような無生物に至るまで、この世の万物に魂や精気があると考える民俗的な想像力が発見される。姜ハルモニは、生物学的にはバラ科の落葉樹にすぎない桜の木に戦争の亡霊を乗り移らせたり、木の根をあらわにすることですぐにも敗亡する不安な日本の未来を表現したり、地と木に染みこんだ帝国主義の狂気ゆえに逃げ出すことのできない少女の絶望を表現したり、死んだ少女たちの霊魂が大同団結して悪い気運を追い出すといった、非常に強力な民俗的設定を配置して民族的な集団無意識を表現した。このような装置たちが現実の視点を拡張して絵画的で超現実的な想像力の夢に融合し、姜ハルモニだけの独創的な個性をつくり出している。そしてそのような特徴は、姜ハルモニ自身は意識しないまま絵を描く過程で自然とあらわれたものだった。

しかし絵は、少女徳景の経験ほどには残忍に見えない。羞恥心から絶望の涙を流す少女がおり、少女を残酷に蹂躙した暴力と狂気があり、すでに無残に生命を奪われた骸骨たちがごろごろしているにもかかわらず、絵は優雅だ。悲劇をたたえた優雅さが流れる。姜ハルモニの絵の芸術性は、自身が経験した悲劇を超現実的に美しく表現する逆説、その地点にあるのだ。それまでに磨いた写実的な再現の上に、自身だけの悲しい語りが加わって、より光を放ち始めたのである。

今回の第一作は、姜ハルモニの人生の新しい可能性であり、希望にもなった。姜ハルモニが心の奥深くにある井戸から自身の苦痛をくみ上げて絵で表現したということは、それまで見失っていた自我を取り戻して新しい人生を生き始めたことを意味していた。絵画「奪われた純情」は、その第一歩となった。

絵を完成させた姜徳景ハルモニは、改めて絵をじっと見つめた。日本の狂気を全身で受けた植民地朝鮮の少女徳景を、ハルモニになった徳景が「本当に大変だったね、頑張ったね」と慰

めているかのようだった。

　完成した絵の最初の観客はナヌムの家のハルモニたちだった。一緒に絵を描き始めたけれども、さっさとやめて姜ハルモニの成長を最も近いところで見守ってきた方たちだ。しばらく静寂が流れた後、皆口々に褒め始めた。

「うわー、上手だねー」

「もう本物の画家みたいじゃない」

　絵を見ていた朴頭理ハルモニが尋ねた。

「ところであそこに出っ張ってるのは何？　一《いち》物《もつ》かい？」

「どこ？」

「木に？　何言ってるの、手じゃない、手」

　ハルモニたちはワイワイガヤガヤとにぎやかだ。

　しばらくして、朴頭理ハルモニが慶尚道なまりで一言、ゆったりとした調子で言った。

「パンツ、はかせな」

皆、爆笑だった。

自分たちを辱めたと言って画家たちのことを怒った人たちと同じ人なのかと思うほどだった。私は、姜ハルモニと目を合わせた。ハルモニが羞恥心などはもう隣の犬にくれてやってしまったことが感じられた。

あの時、あの場所で

姜徳景ハルモニの心のしこりが絵に表出された時、クライマックスに向けて速度を上げる太鼓の音のように心臓がバクバクと音を立てていた人は、姜ハルモニ一人ではなかった。後ろで静かに見守っていた金順徳ハルモニの心臓も、同時に高鳴っていた。しかし私は、姜ハルモニの絵にひどく興奮していたので、金ハルモニの気持ちを察することができなかった。

数日後、再び美術の時間が来てナヌムの家に行くと、金順徳ハルモニが珍しく絵を描く準備を整えて私を待っていた。

「先生、待ってたよ。ちょっとこっちに来て」

「あら、ハルモニどうしたんですか？　もうすっかり準備もできてますね」

金ハルモニは私を座らせてスケッチブックを開き、じっと目をつぶった。金ハルモニはしばらく筆を手にしたまま絵を描こうとはしなかった。

「ハルモニ、何か困ってることでもあるんですか」

「美術の先生、日本軍をこうずらっと描かなきゃいけないんだけど……」

虚空に手で線を引くようにして日本軍をたくさん描きたいのだと言う金ハルモニを見て、私はようやくハルモニの気持ちが見え始めた。姜ハルモニの絵「奪われた純情」は、同じ傷を負ったハルモニたちに大きな共鳴を与えるにじゅうぶんな作品だった。一緒に絵を描いてきた金ハルモニにとってはなおさら大きな刺激になったことは明らかだった。おそらく金ハルモニは、姜ハルモニの絵を見てからずっと、自分はどんな絵を描こうかと考え続けていたのだろう。朝から美術の先生の来訪を待ち、日本軍の話から始める金ハルモニに期待が高まった。姜徳景ハルモニに次いで、金順徳ハルモニも自身の傷を絵で表現しようとしていることに私は興奮した。しかし、絵に対して自信を持てないことが依然として足かせになっていた。

「でも、描けないの、手伝って」

「ハルモニ、日本の軍服はどういうものですか。私は一回も見たことがないからわからないんです。軍服はどんな色でしたか？」

「なんだ、美術の先生がそんなことも知らないの？　黄土色で肩には赤い階級章が付いてるんだよ。靴はここまでながーく上がっててひもで結んでるんだよ」

金ハルモニはじれったいと言わんばかりに説明し、がっかりした表情を浮かべた。横で見ていた朴玉蓮ハルモニも一緒になって日本軍の軍服について説明してくれた。美術の先生に助けてもらおうと思っていた金ハルモニは、結局、助けてもらうのを諦めて自分で日本軍を描き始めた。

ハルモニの筆が黄土色の絵の具に染められると、画用紙の上で日本軍の軍服に変わって行った。しばらく熱中していたハルモニが失敗したと残念がる。

「アイゴー、日本軍の脚が変なふうになっちゃった、まったく」

「そんなことないですよ、上手にできてますよ。私は軍人がどんなだかわからないから描くこともできないのに、ハルモニのほうが先生である私よりもはるかに上手ですね」

「アイゴー、美術の先生がまた笑わせるんだから」

ハルモニは笑いながらちらっとこちらを見て、また絵に集中した。

「今度はここに緑の絵の具で描かないと

……」

ハルモニは次にするべきことを忘れまいとするかのように先に言葉にして確認し、せわしなく筆を洗って緑の絵の具をつけた。緑の絵の具は見る見るうちにテントになった。軍用のテントと列をつくって並ぶ日本軍人たち。金ハルモニも姜ハルモニのように地獄のようだった慰安所での最初の日を表現していた。ハルモニの横顔が目に入ってきた。ハルモニは、重要な部分を描くたびに言葉がなくなり、眉毛がつり上がり、口元に力が入った。ハルモニの緊張した顔に年若い順徳の緊迫した恐怖がにじんでいるかのようだった。薄い軍用テントの向こうには、絶えず押しかける軍人に対する恐怖と肉体的な苦痛、17歳の少女を襲った死ぬことも生きることもできない羞恥心があった。ハルモニは、数え切れない日本軍人が自身に加えた残忍な性暴力を直接的に表現することができず、布一枚で隠していた。それは、ハルモニの最後のプライドだった。ハルモニが自身の生から何をすくい上げているのかがわかったので、質問をしていいものかどうか迷いながらそっと尋ねた。

「ハルモニ、この絵の時間はいつですか」

「真っ暗な夜だよ」

「それじゃあ、夜をどんなふうに描きたいですか」

「星を描かないとね。星が本当にたくさん出てたから」

夜空を塗る過程で、手が震えて星がいくつか消えてしまった。ハルモニは消えた星を惜しみ、また次の心配を抱えて美術の先生を切ない表情で見上げた。

「美術の先生、うつぶせの姿はどうやって描けばいい？　とてもじゃないけど描けないよ」

金ハルモニは、気持ちが焦ってくると、幼い子どもが駄々をこねるようにSOSを出してきた。しかし、これまでに描いた慰安所や日本軍を見ただけでも、今回の絵がハルモニにとって一世一代の重要な絵になることは間違いなかった。だから自分で困難を克服しなければならない瞬間であることに気づいてもらう必要があった。

「ハルモニ、ここまですごく上手に描けてますよ。その調子でやれば大丈夫。私がモデルになりますから、描いてみてください」

私は、手助けすることはできないとくぎを刺した。するとハルモニは突然、最近自分のせいでナヌムの家で一騒動あったのだという話を始めた。美術の時間が終わって夕飯も早めに済ませたある夏の日、みんなで居間に集まって話をしていた。美術の時間の話や、その他いろいろな話に花を咲かせていたところ、夕方には必ず眠くなる金順徳ハルモニは眠気に勝てずにウトウトしていたという。部屋に入って寝るように他のハルモニたちから言われて、金順徳ハルモニはその場にいられないことを残念に思いながらも、自分の部屋に入って床に就いた。どれくらい時間がたっただろうか。突然、部屋から悲鳴が聞こえた。その声は、単なる悲鳴ではな

かった。死に直面した動物の切迫した鳴き声に近かった。皆驚いて金ハルモニの部屋を開けて見た。居間の明かりが、暗い部屋の中にいる金ハルモニを照らした。冷や汗をかいた金ハルモニは、皆に起こされて座った。誰かが病院に行ったほうがいいのではないかと言った。金ハルモニは何も言えずに手で水を探した。水を一口飲んだ後でハルモニはやっと落ち着きを取り戻し、悪夢を見たのだと言った。具体的な話はせずに、ただ悪い夢だとだけ言った。その日はそれで終わった。ところが今日描いたこの絵が、まさにその時に見た夢だと言うのだ。

「ちょうどここに、私がしゃがみ込んでいる姿を描かなきゃいけないんだけど、難しくて描けない」と言い、筆を手にしたまま絵は描かずに泣きそうな顔をしていた。

「ハルモニ、しゃがみ込んで何をしているんですか」

「何って……、この年になってもまだつらくて泣いてるのよ」

その話を聞いて私は、もうそれ以上、原則ばかりを言うわけにはいかないと思い、ハルモニの手を取って一緒に絵を描き始めた。

「絵は気に入りましたか」

「しゃがみ込んでる姿が本物みたいに描けてる」

金ハルモニがうれしそうに言った。

「ハルモニが一人で描いた線のほうがずっといいですよ。今回は一緒に練習したから、次に大

きな絵に写す時にはハルモニが一人でやってくださいね。大丈夫ですね？」

「もちろん、大丈夫」

ハルモニはきっぱりと答えた。

「ハルモニ、絵のタイトルはどうしますか」

絵を完成させた満足感から明るくなったハルモニが、しばらく考えた後で言った。

「あの時、あの場所で」

甘え上手な金ハルモニに今日も負けてしまったが、私はうれしい気持ちで一杯だった。まったく予期していないことだったからだ。

「あの時、あの場所で」は、金ハルモニが初めて自ら描いた自分自身の物語であり、加害者である日本軍を表現した最初の絵だった。また、「あの時」の悪夢が生涯続いているという事実を確認させせてくれた絵でもあった。日頃から上品な顔つきで陰のない明るさを感じさせる金ハルモニだが、その苦痛は例外なく絵で永遠に記録された。そしてこの絵「あの時、あの場所で」を起点として、金ハルモニも記憶のパズルを合わせるかのように、自らの過去の物語を吐き出し始めた。

再び美術の時間が来た。前回同様、金ハルモニは授業を受ける準備をすっかり整えて待っていた。授業が始まると、ハルモニは筆に青い絵の具をつけ、大胆に絵を描き始めた。ハルモニは、深さも計り知れない濃青の大海に大きな船一隻を描いた。チマ・チョゴリを着た女の子たちと隊列を組んで立つ日本軍を一人一人一生懸命に描いた。船は港を発ってからまださほど時間がたっていないように見える。ハルモニは、目が覚めるような青空と、その空を飛ぶカモメも描いた。

「すっごく大きな船に、朝鮮の女の子たちがいっぱい乗ってたのよ。日本軍も同じくらい大勢乗ってるし。その時に私は17歳。みんな同じくらいの年格好の子たちだった。お金を稼げるって言われてだまされて船に乗ったんだけど、そこにいる子たちは大体みんな同じだった。本当に工場に行くと思い込んでたんだから。あんなひどいところに連れて行かれるなんて夢にも思わなかったよ」

少女たちは皆、とても貧しかった。三食のご飯を食べるのも難しい状況だったから、お金を稼げる機会が与えられたことを大きな幸運だと思っていた。これほど多くの女性を連れて行って一気に慰安所に入れることなど誰も想像できなかったから、純真な少女たちはよりましな未来を夢見て、彼らが示したわなに食いつくしかなかったのだ。若く純真で空腹を抱えた女性たちは、巨大な帝国主義の悪辣《あくらつ》で陰険なたくらみの標的になった。生まれて初めて見る青い海を背景に浮く大きな船は、順徳の気持ちを不安にもさせ、膨らませもした。

「船が港を離れる時に大きな汽笛が鳴ったんだけど、その音を聞いたら、ああ、もう本当に出発するんだなって、急に不安になってね。あっちこっちで「お母さん！」って故郷のほうに向かって泣き出して、急に涙の海になっちゃった」

お互いに名前も故郷も知らない女の子たちが、泣きながら思いを共有したのだろう。彼女たちは身を粉にして一生懸命に働いてお金をたくさん稼いで帰る決意を互いの視線でわかち合ったに違いない。しかし、それがいかにむなしい夢だったのかを、女の子たちは間もなく知ることになるのだ。

美術の時間は、以前よりもはるかに積極的で能動的なものに変化した。金ハルモニは絵のタイトルを「連れて行かれる船の中」とつけ、以前にはなかった態度で絵の説明をしてくれた。考えてみると、これまで金順徳ハルモニは心理的に萎縮していて、自分自身を描く時には後ろ姿で描き、罪の意識に囚われている要素が絵の中に散見された。しかし「あの時、あの場所で」を描いた後、ハルモニの心境に明らかに変化が起きていた。50年の沈黙を破って初めて日本軍性奴隷制被害者であることを吐露した時のように、この絵を描く時に何らかの自覚が生まれていたのだ。自信がついたことでハルモニの絵の実力は一気に伸びた。これまでとは打って変わって、こなれた線を引き、苦手意識を持っていた人物も描くようになった。そして、絵の

中に後ろ姿が描かれることがなくなった。

「ハルモニ、今までは後ろ姿の人をよく描いてましたけど、最近は前から見た姿を描いてますね」

「そう？　だって実際にこうだったからこう描いたのよ。この時には何が何だかわからずに、工場にお金を稼ぎにいくのに、ずらっと並べって言われて並んでいたから、こう描いただけ」

「この女の子たちの顔の線を見てください。普通の線じゃないですね。まるで画家が描いたみたいです」

「またぁ、美術の先生がばあさんをからかって」

「ハルモニ、本当ですよ」

金順徳ハルモニはまんざらではない様子でホホホと笑った。

これまで暗黙のうちにタブー視してきた慰安所の話を対話のテーマにできるということは、美術の先生として夢のようなことだった。姜徳景ハルモニに次いで金順徳ハルモニも自身の最もつらい話を絵で表現するのを見て、私は胸がいっぱいになった。ハルモニたちと出会って私がするべきことはこれだったのだという確信が生まれた。

好奇心

ハルモニたちに会いに行くことがますます楽しくなった。わずか一、二カ月前まで、どうすればハルモニたちが自らの傷を絵で表現できるのだろうかと一人で悩んでいたが、ハルモニたちが自身の話を絵で描き始めたのだから、これ以上希望的なことはなかった。美術の先生として私が気を遣うべきことは、ハルモニたちが自身の問題を自分で引っ張り出して、それを絵で完成させることができるように導くことだけだった。そうすることで、今後ハルモニたちは私に頼らずに一人で絵を描くことができるようになるだろう。そしてそれは、自尊心と自立心を育てていくためにも、どうしても必要なことだった。私は、ハルモニたちの速度に半拍遅れてついて行く形で、傍らで見守る方がいいと思った。そこで、ハルモニたちの絵の構想に一切関わらず、ハルモニたちが私を必要とする時に、それも技術的に表現が難しい時にだけ関わるよう努力した。

閉ざしていた過去の門が外されると、ハルモニたちには語りたいことがたくさんある様子だった。とりわけ物や人物の写実的な描写を好む姜徳景ハルモニは、絵で描きたいことが増えるにつれて質問も増えた。

「美術の先生、描きたいことがあるんだけどどうまく描けないのよ」

「何ですか、ハルモニ」

「手を上げて万歳している姿を描きたいんだけど」

ハルモニは、人の動作を描くのを難しがった。

「動かない物を描くのは上手じゃないですか。人の動きはあまり描いたことがないから難しく感じるんですね」

私は手を上げて万歳をした。自然と顔が上向きになった。

「ハルモニ、私の顔を描いてみてください。同じ顔でも正面を見ている時と上を向いている時とでは違うでしょ？　私の額、鼻、耳の位置がどういうふうに違うか言ってみてください」

「広かった額が狭くなって、鼻が全然見えなくなって鼻の穴が大きくなった。耳が目の横にあったのに唇のあるところまで降りて来てる。顎と首がたくさん見えるね」

ハルモニは、私の顔とスケッチブックを代わる代わる見ながら絵を描いた。紙の上ではチ

マ・チョゴリを着た若い女性が手を上げて万歳を叫んでいた。新しい事実が面白かったのか、ハルモニは口元に笑みを浮かべていた。

「それじゃあ、頭を下げたのはどうやって描くの？」

私は頭を下げた。

「さ、私の額と鼻と耳がどう見えるか、また話してください」

「額がまた広くなった。今度は鼻が長くなって鼻の穴は全然見えない。口も、顎もよく見えないし、耳はまた目の横よりも上に上がったよ」

ハルモニは不思議そうにじっと見ていたかと思うと、絵を描き始めた。ハルモニは、うつむいた顔に頭と眼鏡を描き入れた。それから姜ハルモニは、女性の片方の手に刀を握らせ、その刀で日章旗を切り裂く姿を描いた。日章旗から血がドクドクと流れ、その下には日本の天皇がひざまずいて頭を垂れて謝罪する姿が描かれた。絵が心を重く抑えつけた。

姜ハルモニがこの絵を描いたのには理由があった。日本政府に謝罪を求めるハルモニたちに対し、日本の政治家たちはお金を稼ぐために「慰安婦」に志願したのだとか、慰安所は民間人が運営していたのだとか、依然としてうそと詭弁《きべん》を弄《ろう》していた。数カ月に一回ずつそんなニュースが流れるたびに、ハルモニははらわたが煮えくりかえる思いをしていた。胸奥深く凝り固まった憎しみと苦しみの感情を外に吐き出させる必要があった。

「ハルモニ、今日の美術の時間はどうでしたか」

「目、鼻、口の位置が変わって面白かった」

「そうでしょ？　絵は思ったとおりに描けましたか？」

「初めは悔しくて腹立たしくて頭が割れそうだったけど、描いてみたら気分がすーっとしたようなところもあるし、だいぶよくなったよ」

その後、ハルモニは表現がしっくりと慣れるまで何度もこの絵を描いた。

数日後、姜ハルモニが一枚の絵を描いて私を待っていた。ハルモニは誇らしげに絵を広げて美術の先生の反応をうかがった。ハルモニはこの絵がとても気に入っているようだった。絵には、おぞましい男たちの手が梨畑の地面から突き出て梨をもぐ様子が描かれていた。そして、よく熟れた梨の中にはチマ・チョゴリを着た少女たちが描かれていた。

「わぁ、ハルモニ、こんなことをどうやって思いついたんですか？　面白いですねぇ」

ハルモニはにっこりと笑って絵の説明を始めた。

「よくよく考えて見ると、梨は他の果物よりも高価じゃない。それで朝鮮に日本人がこっそり入って来て、おいしくて良い梨を片っ端からもいで食べる様子を絵で描いたらどうかなと思ったのよ」

ウキウキとしたハルモニの声に、私も楽しくなった。この絵で「もいで食べる」という行為は、実際に梨をもいで食べる行為、そして日本軍が朝鮮の少女たちをレイプする、貞操を奪うという二重の意味を含んでいた。ハルモニは周辺の事物を見て絵でどう表現するかをいつも考えていた。

ハルモニのお気に入りのこの絵を、キャンバスに描き写すことにした。初めてキャンバスに絵を描いた後、二つ目の絵からはハルモニが身体を動かしやすいようにキャンバスの布を枠に固定せず、掛け軸に絵を描く時のように床に布を広げて描くことにした。毎回、木枠を買って準備するのに時間と費用がかかる上、ハルモニたちにとっては扱いが大変でもあったので、略式でおこなうことにしたのだ。

「先生、これどうやって描けばいいかな？　大きすぎるんだけど」

「描きたい大きさで、まず鉛筆で薄く線を引いてみてください」
ハルモニはデッサンの練習の時に手をたくさん描いていたので手を描くことにある程度の自信を持っていたが、突然大きくなった画面の比率を測りかねていた。絵の中の日本軍の手のモデルは、ハルモニの手と私の手だった。何度か修正した末に絵が完成した。キャンバスに大きく絵を描く過程で、さまざまな形や画面の比率などを扱うことになり、ハルモニの絵の実力はさらに一段階上がった。ところが、スケッチをする過程で少しお手伝いするつもりが、ハルモニ固有の線を消してしまう結果を生んだ。もうこれ以上、ハルモニの絵に手を入れてはいけないと思った。

ハルモニは、「奪われた純情」に次いで完成したもう一つのキャンバスの絵の前に立った。絵のタイトルを「梨をもぐ日本軍」と決めたハルモニは、完成した絵を満足気に眺めていた。恵化洞の

韓屋の1階中央に、一日中情熱を注ぎ込んだ絵が広げられていた。私は、絵を見る姜ハルモニの上気した顔をのぞき込んだ。春のそよ風に花の香りが広がり、夕暮れ時の黄金色の陽の光にハルモニの澄んだ目がいっそう輝いていた。私は深呼吸をして、完璧で美しいこの瞬間を満喫した。

供出

金順徳ハルモニが内面の傷を表現した絵「あの時、あの場所で」「連れて行かれる船の中」を描いた後、再び故郷の絵を描いた時には以前と大きく違っていた。ハルモニ自身の幼い頃を絵の中に具体的に盛り込むようになったのだ。

再び美術の時間が来た。金ハルモニは頭の中に描きたいことが一杯詰まっている様子で、授業が始まるやいなや駄々をこね始めた。そして何が何でも松の木を描かなければならないと言い張った。

「ここに松の木を描かないといけないんだけど」

私はいつもと同じ態度で授業を誘導しようとした。

「ハルモニ、松の木はどういう形をしていますか」

「葉がツンツンしてて一年中青々としてる。でも、描けないの、アイゴー。わからないから言ってるんだから、そんなこと言わないで描いて見て。そうしたらそれを見て描くから」

ハルモニはまた駄々をこねた。ハルモニの気持ちの強さが感じられたので、私はハルモニの手を取って一緒に松の木を描いた。気分が良くなったハルモニは、松の木を一生懸命にまねて描いた。何本かの松がさらに描かれた。

「子どもの頃、家が山の近くにあったのよ。その周りは全部松の木林だったの。この絵みたいに」

ハルモニの心は幼い頃へと向かっていた。

「ハルモニ、松の林がとてもすてきです。もう一人で松の木が描けますね？」

「もちろん、大丈夫！」

いつものように目的を達成したハルモニの答えはすっきりしていた。

金ハルモニが次に描こうとしたのはキノコを採る自身の横向きの姿だったが、思うように描けず悲しそうだった。しばらく頑

張って横向きの姿を描いたハルモニは、あちらこちらにキノコを描いて絵を完成させた。

「美術の先生、このキノコが今すごく高くなってるの知ってる？」

「何のキノコですか」

「マツタケよ、これが」

ハルモニは絵の中のキノコを筆先でトントンとたたきながら言った。

「これを採って、私たちは一つも食べもせずに日本人に全部持っていったんだよ」

幼い頃の苦労話をしていたハルモニが、言葉を止めて絵をじっと見つめた。

「美術の先生、私、他にも描きたいものがあるんだけど……。私も徳景みたいに大きいのに描きたい」

突然のハルモニの言葉に私は慌てた。絵を描くことに自信が持てない金ハルモニの学び方は、一つの素材を何度も描いて慣れた後で他の素材に移っていくという方法だった。ハルモニの今回の目標は松の木と人の横向きの姿だった。それを完成させるだけでも助けが必要な金ハルモニに、大きな絵はまだ無理だった。けれども、一生懸命に頑張ってキャンパスに絵を描く姜徳景ハルモニを側で見ていた金ハルモニは、自分も大きな絵を描きたいと言った。少し早いとは思ったが、金ハルモニが大きな絵を描きたいならば、取りかかる前にまずは心構えを確認しておく必要があった。

「ハルモニ、スケッチブックに描く絵は練習だから私が時々手伝ってあげることもできますけど、大きく描く絵はハルモニの名前をかけて描く作品になるので、私が手伝うことはできないんです。一人で全部描かなければならないんですけど、大丈夫ですか」

「大丈夫、できるわよ」

「そうですか。どんな絵を描くか考えていらっしゃるんですか」

「もちろん、描きたいものがあるから、描こうとしてるのよ」

「わかりました。じゃあ、約束しましたよ」

初めて絵を描く時、金ハルモニは何を描けばいいかわからなくて困っていた。ところが今では、描きたいものが次々と頭に浮かぶのに、どう表現すればいいかわからなくて困っていた。大きなキャンバスの布が居間に広げられると、ハルモニは怖くなったのか戸惑っていた。しかし、美術の先生と約束したので、すぐには手伝ってほしいと言えず、キャンバスをじっと眺めていた。

「ハルモニ、キャンバスはすごく大きいでしょ？」

「本当だ、大きいねぇ！」

話しかけてくれるのを待っていたかのように、金ハルモニは何もない白い布に指を当てながら絵の説明を始めた。

「ここが朝鮮で、私はここで木の実を採ってるの。それからこっちは日本で、日本人が種をまいてる。……アイゴ、それにしても布が本当に大きいねぇ」

とりあえずスケッチブックに下絵を描いた後、ハルモニは布の上に幼い頃の順徳の横向きの姿を描いた。緊張した線がキャンバスの上を用心深く這い、幼い頃の純真な順徳の姿が描き出された。前回の美術の時間に横向きの姿を描く練習をしていたので、ハルモニは無事に少女を完成させた。次にハルモニは、棒のように育った木の幹に実を描き始めた。木に葉はないのかと尋ねると、「この木は元々、地面に棒を挿したみたいに葉もつけずに真っすぐに育つのよ」と答えた。ハルモニが説明しながら紫色の実を一つ一つ描いていくと、主人公の少女が実を採っている姿になった。しばらくの間、黙って数十個の紫色の実を一つ一つ描いていたハルモニは疲れたのか、「アイゴ、これも畑仕事と同じだねぇ」と叫んだ。これを聞いて居間にいたハルモニたちが爆笑した。金ハルモニも、腰を伸ばす農民のように身体を動かしながら笑った。

絵という畑仕事を終えたハルモニは、少女の上に山と空を描いた。そして左側の日本の地に種をまく日本人の男を描き始めた。ハルモニは日本人の服装についての記憶が定かでないのか、絵を描いていた姜徳景ハルモニに確認をした。すると見物していたハルモニたちが自分の知っていることをわれ先に教えてあげようとするので、居間はにわかに騒がしくなった。男の上には日本の山と空が描かれた。最後に、遠い海に浮かぶ船の上に連行される朝鮮の女の子たちの姿を描き、空を飛ぶカモメを描いて絵を完成させた。金ハルモニは、私との約束どおり一人で絵を描き終えた。

「わー、ハルモニ、こんなに大きな絵を一人で全部描いたんですね」

金ハルモニは自分でも不思議そう

に、しかし満足気な笑みを浮かべて語った。

「これはペアリの実なんだけど、朝鮮にだけあるのよ。これで油を絞るの。だから日本人はこの実が欲しいのよ。飛行機の油が足りないから、これを持っていって自分のところにまいて植える。供出という理由で。供出って言われるともううんざり。こんな小さい頃から死ぬほど働いたけど、働いても意味がない。日本人が全部持っていっちゃった後には食べるものがないんだから。揚げ句の果てに朝鮮の娘たちも連れて行ったじゃない。こないだ描いた『キノコの供出』もそうだし、朝鮮にできるものは根こそぎ持っていっちゃうのよ、物でも、人でも」

「種の供出」というタイトルのこの絵は、縦書き文書のように右から左へとストーリーが流れる。金ハルモニにとって供出は人生でもう一つの恨《ハン》だった。単に収穫物を奪われただけでなく、たばこの供出が原因で父親を失い、そのことで家族がバラバラになり、結局、お金を稼ぎに工場に行こうとして慰安所に連れて行かれたからだ。

普段、自信なげで依存的な金ハルモニが一人でその大きな絵を完成させるとは思ってもみなかった。意志を強く持てば、金ハルモニも一人で粘り強く絵を完成させることができるという可能性が確認できてうれしかった。その後も、金ハルモニは絵の練習を続け、ハルモニだけの純真で純朴な線をつくって行った。

悪夢

金順徳ハルモニの悪夢が「あの時、あの場所で」で表現されてからほどなく、隠されていた姜徳景ハルモニの悪夢も姿をあらわした。

姜ハルモニの夢はいつも、宇宙の暗黒のように深さを計り知ることのできない闇から始まった。音まで飲み込んでしまった暗くジメジメとした空間のはるか向こう側から点が一つ動き始める。点はしばらくモゾモゾしていたかと思うと、徐々に近づき小さな少女に変わる。少女は泣き顔で倒れそうになりながら走っているが、脚が思うようには動かない様子だ。今にも張り裂けそうな少女の荒い息づかいが黒い空間いっぱいに鳴り響く。その時、どこからかドスンドスンという音がする。足音は徐々に大きくなっていく。おびえた少女は再び全力を振り絞って走る。しかしすぐに家くらいの大きさの軍靴が少女を追ってくる。死力を振り絞って走って

も、軍靴は一歩で少女を追い越してしまう。幼い徳景は、とらえられた慰安所でひっきりなしに入ってくる軍人の相手をしながら、ひたすら軍靴を見つめ続けた。軍靴が見えない時にだけなんとか休むことができた。日本の軍人が大勢やってくる土曜日には朝から晩まで軍靴の列が途切れることはなかった。しかし、永遠に続きそうだった苦痛も1945年8月15日、うそのように終わった。徳景は地獄から脱出して故国に戻ったが、戦争が終わったからといってすべてが消えたわけではなかった。ある日から、あの忌まわしい軍靴が再び夢にあらわれ徳景を追いかけ始めたのだ。

まだ闇に包まれた夜明け前、再び軍靴の悪夢が姜ハルモニを襲った。ハルモニは全身の細胞が固まったままぴくりともできない状態に置かれた。なんとか身体を動かしてやっと目を開けると、服が汗でびっしょりとぬれている。そんなふうに夢から覚めるともう眠ることはできない。ハルモニは身体を起こして明かりをつける。皆が寝静まった時間、青白い蛍光灯が夜明けの濃青な光と闇が混在した空間を引き裂いて光を射し込む。やがてハルモニは灰皿とたばこを取ってきて、また座る。そしてたばこを深く吸い込む。ハルモニは慣れた儀式をおこなうかのように、無表情なまま自身の生に対する悲しみと怒りをたばこの煙に燃やして飛ばしてしまう。絵を描く前だったら、また横になって眠れない目をしばたたかせながら闇の中でどこかわからない奈落に落ちる自分を見つめていただろう。でも、今は違う。ハルモニはもうこれ以上、夢の中のように逃げることなく、勇気をふるってその怖れに立ち向かいたいと思ったはずだ。

ハルモニは、小さなお膳を引き寄せて、膳の上に置かれたスケッチブックを広げる。そしてやつれた手に鉛筆を握り、蛍光灯の明かりが照らす薄青い画用紙に絵を描き始める。鉛筆の黒い芯が押さえつけられるとすぐに黒い軍靴が

姿をあらわした。軍靴は細胞分裂するかのように横に連なっていくように見えた。しかし、鉛筆はすぐに止まってしまった。ハルモニはそれ以上描くことができない。描き始めた軍靴をしばらく見つめた後、スケッチブックを閉じてしまう。70歳になっても忘れることができない恐怖は、簡単には振り払えないほど重かったに違いない。悪い夢は忘れずに必ずやって来てハルモニを再び幼い少女へと引き戻した。ドスンドスンという音と共に訪れるその夢は、ハルモニにとって果てしなくつきまとう生きた恐怖だったのだろう。

姜ハルモニが描くことを止めたのには、恐怖の他にももう一つ理由があったのではないかと思う。ハルモニの絵の描き方の問題と言うべきだろうか。ハルモニは自身の傷を描く際に、単にドキュメンタリーのように写実的に描写するのではなく、自身の経験に語りを加えて比喩と象徴で表した。それが、姜ハルモニの絵の特徴になった。その夜、ハルモニの苦痛は恐怖に押さえ込まれて語りを加えることができなかったのかもしれない。

「ハルモニ、こないだ描いた軍靴の絵はどうしたんですか」

「あ、あれ。気に入らないから捨てちゃった」

ハルモニは、何てことないといった調子でさらりと言った。ハルモニにはもう少し時間が必要だと思われた。それでも姜ハルモニは、できる範囲内で自身の話を絵で表現しようとしたし、絵を描いていない時間にもどう描くかを考え続けていた。姜ハルモニが金順徳ハルモニにこんなことを言ったことがある。

「姉さん、絵を描いているとつらいことも少し消えて、気持ちも少し楽になるの」

そんなふうに頑張り、肉体的に力を出し尽くした日には深い眠りについた。悪夢を見ない、短くて深い眠りだったに違いない。

ガラクタ

金順徳ハルモニは何でも集めるのが得意だった。いつも忙しく何かしており、周辺を歩き回ってはあれこれ集めて来た。そんな金ハルモニに姜徳景ハルモニがひとこと言った。

「姉さんは一時もじっとしてることがないね。何がそんなに忙しいの」

「私は酉年《とり》だから朝から晩まで小まめに動き回るのよ」

鶏好きな金ハルモニは、自分と鶏との関係が思いついて気分が良くなったのか笑いながら言った。

金ハルモニの日課は、早朝に起きて近所を一回りしながら誰かが捨てた物の中に使えそうなものがないか見回ることから始まる。今すぐには要らないけど、いつか使えそうな物をあれこれ持って帰って来る。もちろん、金ハルモニだけでなく他のハルモニたちも「近所を一回り」

で生活道具をいろいろそろえてはいたが、金ハルモニはダントツだった。金ハルモニの部屋には、大きなものではタンスやチェスト、小さなものでは曲がったフライパンや鍋、小さな鉢植え、さらには古くなったお餅やキャンディーまで、それこそ隅々に「隠されて」いた。普通の人でも物を収集する症状を多少は持っていると言うが、金ハルモニの部屋は少し心配になるくらい物にあふれていた。

ハルモニは明るい性格で前向きだった。初めの頃は、その勤勉さも持って生まれた性格なのだと思っていた。しかし、「あの時、あの場所で」を描いた後、ハルモニの他人とは違う行動が目に入り始めた。物をとにかく集め続けたり、一つのことをやり始めても最後までやらずに他のことをやり始めたりするハルモニの行動は、実は不安な気持ちを解消するための方便なのだと思った。ハルモニは、知らぬ間によみがえる過去の傷を避けるために何でもいいから何かをしていなければならなかったのだ。だからハルモニのせわしなさは生まれつきの性格なのではなく、過去の悪夢から逃げるため数十年間一人で頑張った結果、身についてしまった習慣だったのである。金ハルモニはこのような本音を明かす代わりに、持って生まれた明るさで何事も笑い飛ばすことで悪い感情を吹き飛ばしてしまおうとしているように見えた。ところが心配になっていたハルモニの収集癖が前向きな効果を発揮する重要な事件が起きた。

もう授業が始まる時間なのに、金ハルモニは授業の準備はせずに、タンスの中からきれいな花の刺しゅうがほどこされた布を何枚か引っ張り出してきた。

「美術の先生、これ見て」

「ハルモニ、刺しゅうですね」

「誰かがこれを捨てたのよ、もったいない……。誰かが丁寧に刺しゅうを入れたものなのに」

ハルモニが近所を一回りして見つけた、捨てられた屏風から取り外した刺しゅうだった。きれいに洗濯して額に入れるか表具にしたくて表具師まで訪ねていったが、費用が思った以上に高かったのでタンスの奥にしまっておいたものを、もしかしたら美術の先生に名案があるかもしれないと思って引っ張り出してきたのである。

「この花、きれいでしょう? これで何かできないかしら?」

しばらく刺しゅうを眺めながらもったいないと言うハルモニを見ていて、一つアイデアが浮かんだ。

「ハルモニ、この刺しゅうを利用して絵を描いてみましょうか」

「刺しゅうに絵を?」

「はい、どの刺しゅうが一番好きですか」

金ハルモニはしばらく見比べて、モクレンの花の刺しゅうを選んだ。

「このつぼみが開く前のモクレンの花がちょうど私みたい。一番きれいだった時に咲くことも

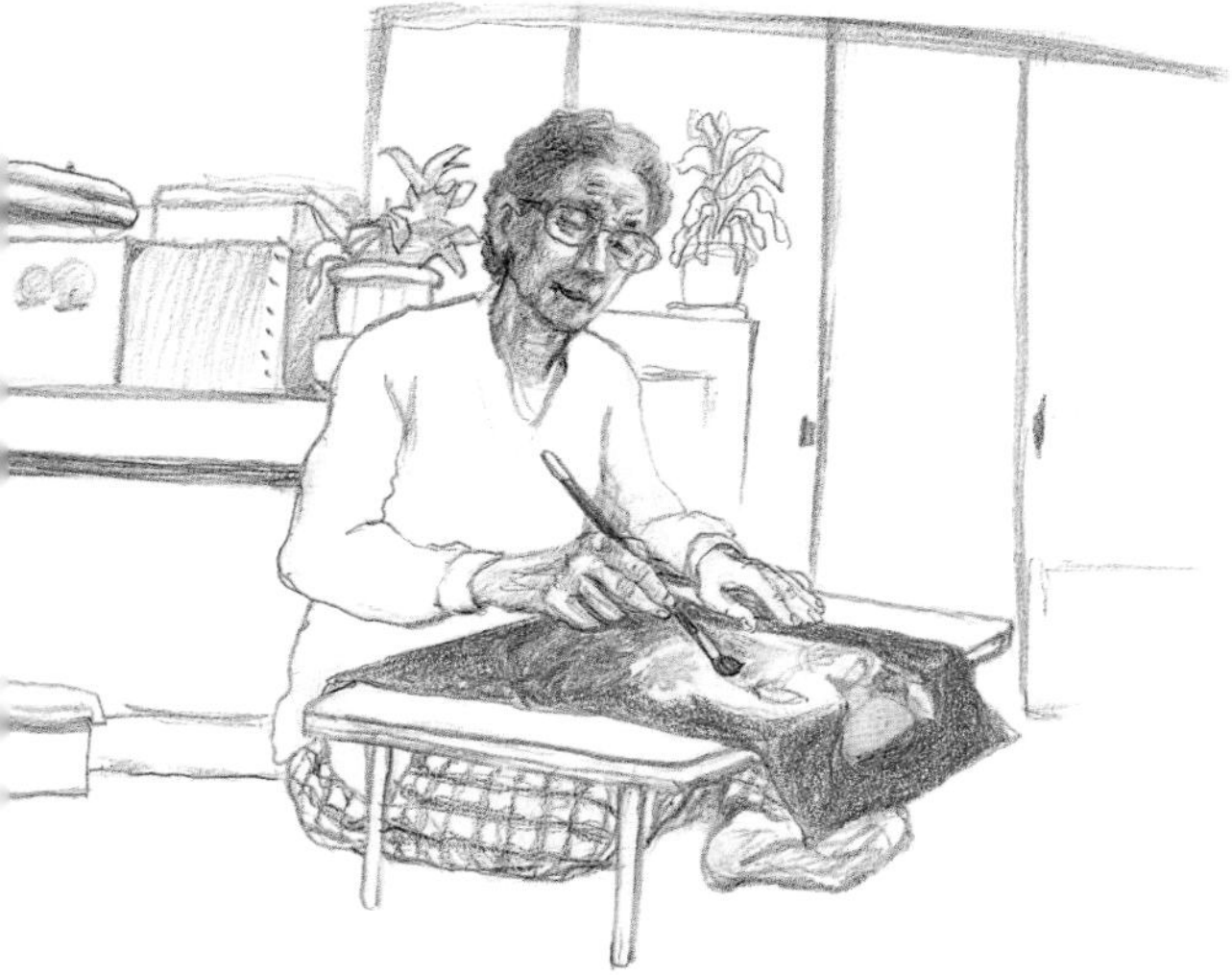

できなかったのが私と同じだわ」

ハルモニは、悲しい目で慶尚南《キョンサンナム》道《ド》宜寧郡《ウィリョングン》の山奥にいた17歳の少女を探し求めた。ハルモニは目を閉じ、しばし思いにふけった。普段、楽天的で楽しい姿ばかり見ていたので、ハルモニの暗い表情は見慣れないものだった。ハルモニの端整なしわの寄った顔が私の目の中いっぱいに入ってきた。ハルモニは目を閉じたまま、絵を描く前に何をどう描くか考えてみるようにという美術の先生の指示を誠実に守っているところだった。しばらくしてハルモニが目を開けた。

「美術の先生、このつぼみのモクレンの後ろに私の昔の姿を描いたらどうだろう？」

「ハルモニの子どもの頃の姿はつぼみのように本当にかわいかったでしょうね！」

「かわいいってよく言われたよ、私はね」

ハルモニは口元に笑みを浮かべ、またたく間に明るい表情になった。

「美術の先生、それじゃぁ、この絵のタイトルを『踏みにじられた花』か『咲ききれなかった花』にしたらどうかな？」

「『踏みにじられた花』だともう二度と咲けないけど、『咲ききれなかった花』ならまた咲く希望が持てるから『咲ききれなかった花』がいいんじゃないでしょうか」

タイトルを先に決めてから絵を描くのも、金ハルモニ特有の癖だった。

ついに願ってやまなかった花の刺しゅうを活用できる機会を得た金ハルモニは、期待と興奮に包まれて顔を上気させていた。お膳の上に刺しゅうを広げ、パレットにはきれいな色の絵の具を整然と絞り出して置いた。ピンク、黄色、白を混ぜた筆がまだ幼さの残る少女の顔色をつくり出した。筆は緊張した様子で小刻みに震えながら、モクレンのつぼみの後ろで光を放つ濃い柿色の絹織物の闇の中に隠れていた少女を呼び出した。はにかむ少女の頰が、ハルモニの頰のようにほんのりと赤らんだ。ところが一生懸命に筆を動かしていたハルモニが急に手を止めて泣き顔になった。思い通りにうまくいっていない様子だった。

「アイゴー、顔を面長に描きたかったのにお月さまみたいに丸くなっちゃった」

下塗りをしていない生地に絵の具がなかなかうまく乗らず、筆が思ったように動いてくれないようだった。その上、刺しゅうがほどこされた特別な生地だと思うと、失敗して台無しにするのではないかと気が気ではなかったのだろう。

「美術の先生、これちょっと直して」
「ハルモニ、緊張するともっとうまくいかないから、とりあえずもうちょっと絵を描いてみて、顔は色鉛筆に材料を変えて描いてみましょう」
がっかりしているハルモニをなんとかなだめて、もう一度絵を描くように説得した。チマ・チョゴリの少女がモクレンの後ろに立っている姿が徐々にあらわれてきた。最後に一番重要な顔を描く番だった。ハルモニは紙に何回か練習していたが、実際に刺しゅうの上に描く時には相変わらずおじけづいていた。ところがハルモニの心配をよそに、震える線で描かれた少女の悲しい瞳は、自らの前に迫る恐ろしい運命を見つめているかのようで、実に絶妙な表現になった。

「わー、ハルモニ、雪のように純粋にとてもよく描けましたね。気に入りましたか？」

「さっきよりはちょっといいね。でもやっぱり顔はまだちょっと丸いね」

ハルモニは丸くなってしまった顔が自分の幼い頃とは少し違うことを残念がりながらも、大切な刺しゅうを活用して作品を完成させた満足感でしばらく眺めて笑みを浮かべた。

こうして金順徳ハルモニの代表作「咲ききれなかった花」が誕生した。金ハルモニは自身の絵の実力にいつも不満を持っていたが、ハルモニの絵には純粋な幼子の絵のような本能と直感に忠実な表現がしばしば見られた。それは単純ながらも躍動感に溢《あふ》れる美しさだった。とりわけ金ハルモニの絵には、ゴツゴツとした素焼きの土器や雨風に打たれてうっすらと笑みをたたえるトルハルバン［訳注：済州島各地にある石像で、意味は「石のおじいさん」。村の守護神として村の入口に建てられている］のような、ふくよかな韓国の情緒が感じられた。

しかし一方で理解できない部分があった。日本軍の性奴隷とされて恐ろしい目に遭ったにもかかわらず表現が極めて素直で受動的なのだ。私はこれまでハルモニと美術の時間を過ごしてきた経験を基にその理由を推し量ることしかできない。一つは、ハルモニの明るく前向きな性格が絵に純粋に単純に表現された可能性だ。もう一つは、女性の純潔を命のように重視していた時代に、罪の意識ゆえに故郷に帰ることができずに生涯、過去を隠して生きてきたために感

情をあらわすことに慣れておらず、単純で受動的に表現された可能性だ。しかしもう少し根本的には、金ハルモニがいまだ日本に対する恐怖心と被害意識にとらわれているからではないかと思われた。ハルモニは時々、日本がまた押し入って来るのではないかと警告することがあった。私のような戦後世代が日本の残忍さをじゅうぶんに認識できないことも、ハルモニにとっては大きな心配だったのだ。また、金ハルモニはもしもまた日本が押し入ってきたら自分の絵が自分を脅かす材料になりうると心配していた。さらに、自身が描いた絵のせいで子どもたちや孫たちにまで被害が及ぶのではないかと心配した。私は、そんな理由で金ハルモニが絵を消極的に表現するのではないかという気がした。

「咲ききれなかった花」でも、金ハルモニは咲けなかったモクレンを自身と同一視しながらも、直接的な表現は避けて、強い暴風雨のような運命の前に無防備に晒《さら》された純朴なつぼみのようにはかなく悲しい美しさだけを見せてくれた。しかし皮肉にも、まさにその点がハルモニの絵の強みとなって、見る人の心に訴える強烈な力を発揮した。加えて、「咲ききれなかった花」というタイトルに込められた哀切な情緒がたくさんの人々に百の言葉を重ねる以上に大きな感動を与えた。また、この絵の独特な技法も注目に値する。「咲ききれなかった花」に使われた東洋刺しゅうは、誰が刺したものかわからない作品だ。既存の作者未詳の刺しゅうの上に絵を結合させる方法は、伝統的な絵画から脱却しており、若干誇張して言うならば、ポストモダンな絵だとも言える。この作品の後、刺しゅうは金ハルモニの廃品回収目録の第一位になった。

朴玉連姉さん

ナヌムの家で一緒に暮らすことになったハルモニたちは、激しくぶつかることもあったが、時間がたつにつれて互いを哀れむ情が湧き「姉さん」「妹」と呼び合いながら互いを頼るようになった。その中でも朴玉蓮《パクオンリョン》ハルモニと姜徳景ハルモニは仲のいい長女と末っ子のようだった。朴玉蓮ハルモニは物静かで穏やかな性格で、いつも笑顔で人を迎えてくれる人だった。朴ハルモニは美術の授業に参加はしなかったが、姜徳景ハルモニと金順徳ハルモニが絵を習い始めた当初から傍らでずっと応援してくれた。姉妹のような朴ハルモニとの友情は、姜ハルモニの絵にそのままあらわれるようになった。

朴玉蓮ハルモニの話は心象表現の後、美術の時間が少し自由に変化しつつあった時に、姜ハルモニの絵に初めて登場した。姜ハルモニが新しい授業にまだ心を開くことができていなかった時だったので、私は姜ハルモニに神経を使っていた。特別なテーマもなく、描きたいものを描く日だった。じっと考え込んでいた姜ハルモニが意を決したように、白い紙に青を塗り始めた。深くて静かな海が画用紙いっぱいに広がった。すると急に筆遣いが早くなった。ハルモニは、青い海の上に正体不明の衝撃が加えられたかのように渦巻く波を大胆に描いていった。私は好奇心にとらえられてハルモニの一挙手一投足を見守った。突然の衝撃が連続的に伝わって穏やかだった水面に険しい波濤《はとう》がたつ。そして絵の中央に巨大な渦が生じる。尋常ではない変化に、視線が姜ハルモニに引きつけられて離せない。絵の具が乾くのを待つほんの少しの間隙《かんげき》に、ハルモニは口を固くつぐんだままいろいろな色鉛筆をまさぐった。細くて痩せた指がどの色を選ぼうかと迷った末に、白の色鉛筆をつまんだ。そして渦の中心に両手を挙げた人を描き始めた。弱い線で描かれた女性は今にも青黒い海中に飲み込まれそうに見えた。描き終えたハルモニが自分の絵を眺めた。そして何かが足りないと思ったのか、水に落ちた女性から遠く離れた空にカモメを描き入れた。一人で大海に落ち命の危険にさらされている女性が、悠長に列を成して飛ぶカモメによってさらに危なく感じられた。姜ハルモニが描いた絵の事情が気になった。

「日本軍の慰安所に連れて行かれた女性たちが故郷に帰ると言って期待して日本の軍艦に乗ったんですって。ところがしばらく行ったところで船が急襲されたのか、鼓膜が破れるような大きな音がして船に激しい波が入って来たんですって。水の勢いがすごくて、すぐ横にいた妊婦がその波にさらわれて、とにかく何でもいいからつかまなくちゃと思って欄干に必死につかまっていたんだけど、船が真っ二つに割れたのか、すべてが水に飲み込まれて、気がついてみたら海の上で板を一枚つかんで浮いてたんですって。誰かが呼ぶのでそっちを見たら、海に投げ出された人たちが大きな板につかまって浮いてたんですって。生きるためには白い布を振って救助信号を送らないと行けないんだけど、誰も白い布を持ってる人がいなくて、もう恥ずかしいとか言ってられないからパンツを脱いで信号を送ってやっと小さなボートに乗せてもらったんだって。そんなふうに何時間か海の上で待ってて、日本の軍艦が生き残った日本軍人を乗せるために来てやっと助かったんですって」

「ハルモニ、それは誰の話ですか」

姜ハルモニの話だとばかり思ってすっかり期待していた私は不思議に思った。気づかれないように一生懸命に気をつけてはいたが、ハルモニたちが自分たちの話を絵で表現してくれることを私が願っていることに、姜ハルモニはすでに気づいていた。

「ああ、横にいる玉蓮姉さんの話」

まだ自分の話を描く勇気がなかった姜ハルモニが、悩んだ末に朴玉蓮ハルモニの話を代わりに描いたのだ。

１９４２年～45年、日本軍は南太平洋のラバウルを占領し、そこにも6～7軒の慰安所を設置した。そのうちの一つであるラバウル慰安所に若い玉蓮がいた。軍の看護助手に志願した24歳の玉蓮は、島に到着した初日からわけもわからないまま、部屋に入って来る日本軍人の相手をさせられた。戦争の悲劇は、異国である太平洋南西側のラバウルでも同じように再現されていた。抵抗する女性たちは日本軍の銃剣に脅され、借金を返せという脅しで管理された。ラバウルに来る前、この女性たちを日本軍に売り渡した家族やこれに関係した者たちがお金を受け取ったのだ。自暴自棄となった50名ほどの女性たちは、一日中押し寄せてくる日本軍人のために休むひまさえ与えられなかった。日本軍人の手にはお金になるという紙切れが握られていた。その紙切れを集めておけば、後でお金に換算して郵便局の通帳に入れてくれるという話だった。1、2年たって空襲がひどくなると、女性たちは故郷に帰してほしいと抗議し続け、ついに故国に帰る日本の軍艦に乗った。しかし、船が魚雷に当たって50名中15名だけが生き残り、地獄のような島にまた帰らざるをえなくなったのだ。もちろん、通帳に入れてくれると言っていた紙切れは全部なくなり、命だけをなんとかとりとめた。その後、朴玉蓮ハルモニは厳しい生活を送った末に１９４４年、故郷に戻る船に再び乗船したが、またもや連合軍の攻撃を受けて海に沈没し、幸い救助されて、今度は地獄のような島に戻らずに日本の下関港を経て釜山に帰り着くことができた。

「溺れる女性」は、大海に落ちて死ぬ目に遭った若き玉蓮の恐怖を描いていた。一度ならず二度も経験した空襲と海に投げ出された恐怖体験は、朴ハルモニの人生で忘れることのできない問題なのだと思われた。私は、この絵を通して、日本軍性奴隷として連行された女性たち皆が言葉に尽くせない悲劇の主人公であることを改めて認識することになった。想像しがたい逆境と死の淵を経験したにもかかわらず、いつも河回《ハフェ》仮面［訳注：伝統的な儒教文化が残る安東河回村に伝わる仮面。人々は仮面をつけて歌い踊る風刺劇を楽しんできた］のような笑顔を絶やさない朴ハルモニの姿に驚嘆した。朴ハルモニのその苦難の人生が末の妹のような姜ハルモニの手で絵となって記録されていた。

朴ハルモニの話「溺れる女性」を描いてからまもなく、姜ハルモニにも大きな変化が生まれた。「奪われた純情」を皮切りに、ついに自身の話を描き始めたのだ。その後、姜ハルモニは再び朴玉蓮ハルモニの話を描いた。

ある日、ナヌムの家に行くと、ハルモニたちが居間に集まって唐辛子の話をしている声が聞こえた。私は、ハルモニたちがキムチを漬けているのだと思いながら家の中に入った。

「ベトナムの唐辛子は韓国の唐辛子と全然違うんだよ。これくらい小さくて、味がまた辛いのなんのって、涙から鼻水から全部出ていくよ」

朴玉蓮ハルモニが他のハルモニたちに話していた。普段、朴ハルモニは他のハルモニたちの会話を黙って聞いていて的を射た一言で笑わせるのが常だった。ところがどういうわけか、この日は朴ハルモニが話を仕切っていた。あいさつをしてハルモニたちが集まっている居間に行ってみると、ハルモニたちの前に唐辛子ではなく姜ハルモニのスケッチブックが広げられていた。絵を見た瞬間、私は姜ハルモニが「奪われた純情」に匹敵するもう一つの素晴らしい作品を描いたのだとわかり感嘆の声を上げた。絵から目を離すことができなかった。

「わー、ハルモニ、すごくすてきです。ヤシの木もあって、火山もあって、絵がとても異国的ですね。それにこの赤い花がとってもきれい」

居間に集まっていたハルモニたちが私の感想を聞いて爆笑した。わけがわからずきょとんとする私を朴玉蓮ハルモニがからかった。

「アイゴ、美術の先生も知らないんだね。これは花じゃなくて唐辛子だよ、唐辛子」

「玉蓮ハルモニ、どうしてそんなこと知っているんですか」

「自分で育てたことがあるからわかるんだよ」

ハルモニが歌でも歌うかのように楽しそうに答えた。曖昧なその話に、姜ハルモニが説明をつけ加えた。

「美術の先生、この絵は玉蓮姉さんがいたところの話を聞いて描いたのよ」

絵には韓国の山や野では見られないヤシの木が描かれ、パイナップルもあった。遠くで活火山が煙を上げており、庭いっぱいに咲いたベトナム唐辛子が花のように心を引きつけた。赤い屋根の慰安所の階段には若い女性が一人で座っていた。彼女の名前は朴玉蓮だが、慰安所2階の彼女の部屋の前には「しずこ」という名札がかかっており、皆、彼女をそう呼んだ。絵の中の玉蓮は、夢にも思って見なかったその風景の中に入って来ることになった理由をかみしめながら、一人で考え込んでいた。

玉蓮の家は貧しかった。16歳の時に、相手はお金持ちだといううわさを信じて結婚したが、嫁ぎ先は九人もの大家族でおかゆも食べられないような状態だった。だまされて結婚したと気づき、とても暮らせないと思って逃げ出した。18歳の時に、家柄もよく経済的にも安定した家に再び嫁いだ。20歳で男の子を産んだが、お酒を飲むと妻を疑う夫の暴力に耐えなければならなかった。さらに、夫は日本軍に女性を売る業者に妻の玉蓮を売り飛ばしてしまった。玉蓮は自分のあずかり知らないところで莫大な借金を負う身となった。借金取りに追い立てられた玉蓮はついに借金を返すため、危険だから報酬が良いという軍の看護師に志願し船に乗った。

絵の中の玉蓮が日本軍が列をなして押し寄せる現実から目を背けて無表情でボーっとしている理由は、子どもに会いたい一心にとらわれているからだった。元気な息子を奪われて、逃げることもできない遠い異国に連れて来られた玉蓮にとって、幼い息子は身を焦がすほど会いたくてたまらない対象だった。玉蓮は帰れる日を指折り待った。生命力を漂わせる異国の自然は、玉蓮の運命と対照を成していた。この悲しくも美しい絵は、一編の哀切な詩となった。

　この絵も、大きなキャンバスに写し描くことにした。2、3回キャンバスに描いたことのある姜ハルモニは、もう大きな画面にかなり慣れていた。姜ハルモニが白いキャンバスの真ん中に赤い屋根の2階建て慰安所を描き始めた。

「美術の先生、ここの階段がちょっと複雑なんだけど」

　姜ハルモニは2階に上がる階段を描くのが難しいらしく、私に助けを求めてきた。私は、ハルモ

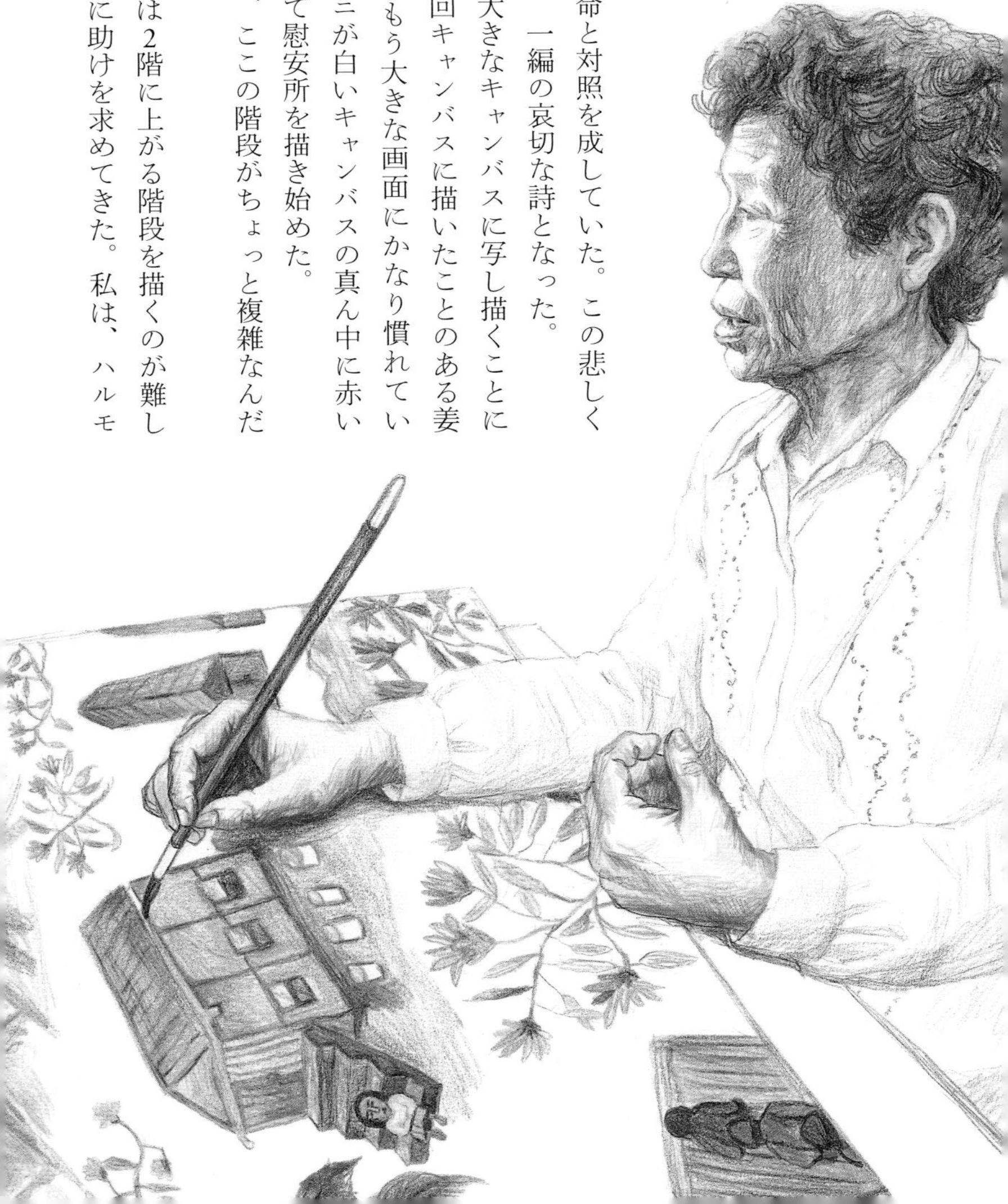

ニと共に家の庭にある階段の前に行った。階段を実際に見て立体に対する説明をすると理解ができたようで、ハルモニはうなずきながらキャンバスに階段を描いた。そして慰安所2階のぴったりとくっついた部屋には日本軍が性奴隷女性たちを呼びやすいようにつけた名前が書かれている。

「ハルモニ、ここはラバウルだからすごく暑いんですよね。玉蓮ハルモニから慰安所がどんなところだったかは聞きましたか」

「だいたい聞いたんだけど、玉蓮姉さんが部屋の前に名前がついていたって言うからこう描いたのよ」

姜ハルモニは朴ハルモニに慰安所の絵の確認を受けに行った。そして戻って来て、慰安所の戸と窓を全部開けた様子を描いた。次にハルモニは慰安所の階段に座る若い朴玉蓮を描いた。スケッチブックでは洋服姿だった玉蓮が、キャンバスではチマ・チョゴリを着た姿で描かれた。姜ハルモニは玉蓮にチマ・チョゴリを着せて性奴隷にされた女性たちが朝鮮人だったことを強調したかったのだ。姜ハルモニが自身の痛みと、共に過ごす朴ハルモニの話まで絵の中に盛り込んでいる姿に私は胸がジーンとした。二人の仲のいい姿をどこかに記録できたらいいなと思った。

「ハルモニ、一人で座っている玉蓮ハルモニがすごく寂しそうに見えませんか」

「姉さんが言ってたんだけど、実際にラバウルの慰安所には姉さんといつも一緒にくっついてる子がいたんだって」

姜ハルモニはすぐにもう一人絵の中に描き入れた。一人だった玉蓮の傍らに友だちを描くと、二人はまるで姜ハルモニと朴ハルモニのようだった。もちろん、その時代に朴ハルモニはラバウルの慰安所におり、絵を描いた姜ハルモニは日本の慰安所にいたのだから、二人が一緒にいることはありえなかった。私が絵の中の二人が朴ハルモニと姜ハルモニのようだと言うと、絵を描いた姜ハルモニが笑った。絵の中の空間は地獄ではあったが、二人は互いに慰め合い頼り合う姉妹のようだった。絵を描くことがなかったら、こんな話を具体的にする機会もなかっただろう。二人のハルモニは絵の力を媒介に互いに寄り添い合っていた。

姜ハルモニと朴ハルモニの対話が耳元に聞こえてくるような気がした。

「姉さんがいたところはどうだったの」

「ヤシの木を見たことある？　サッカーボールくらいの実が木のてっぺんにいっぱいなってるんだよ。遠くの火山からは黒い煙が一日中出てるし……」

「姉さん、ちょっと待って、私が描いてみるから」

「軍の病院で働けばお金をたくさんくれるって言われて一ヵ月半もかけて着いたところがラバウルだったんだ。赤い屋根の2階建ての家だったんだけど、初日から日本の軍人が部屋に入ってきて、何も知らなかった女たちは驚いて抵抗して大変だったよ」

「姉さんはどこにいたの？」

「2階に三人いてね、私はそこにいたんだよ。後になってから、雨水をためる桶を軒下に置いておいて、身体を洗ったり洗濯をしたりしたよ。四方が海に囲まれていて逃げる場所もないし。時間が少したってから置いてきた息子のことを思い出して気が変になりそうだったよ。あいつらが列をつくってひっきりなしに入って来たことを思い出すと……、ああ、嫌だ、嫌だ」

　1995年、民族美術協議会の主催で芸術の殿堂で開かれた「解放50年歴史美術展」にハルモニたちの絵が他の画家たちの絵と共に展示された。私は、ハルモニたちと一緒に展示会に出かけた。清潔で明るい展示場が珍しかった朴玉蓮ハルモニは一歩一歩慎重に足を運んだ。朴ハルモニは絵を見て回り、「溺れる女性」と「ラバウル慰安所」の前で立ち止まり、長い時間鑑賞していた。

出会い

一人で大きなキャンバスに「種の供出」を描いた金順徳ハルモニは、絵を描くことにある程度自信ができたのか、これまでよりも積極的に美術の時間に参加するようになった。もう私がテーマを与えなくても、金ハルモニは一人で絵を構想した。

ある日、ハルモニは絵を構想するために目を閉じていた。

「ハルモニ、今日はどんな絵を描くんですか」と尋ねると、金ハルモニは目を開けて言った。

「二人がこう抱き合おうとするのはどういうふうに描けばいいの？」

「その二人というのは誰ですか」

「南にだけ私たちみたいなハルモニがいるわけじゃないんだよ。北にもいるの。南北のハルモニが出会うところを描きたいんだけど……」

私は、ハルモニと手をつないでポーズを取ってみた。ハルモニはヒントを得たのか、すぐに南北のハルモニ二人が両手を広げてうれしそうに出会う姿を描いた。ハルモニのしわのよった顔とチマ・チョゴリを着た姿が絵によく表現されていた。金ハルモニの絵の実力はどんどんアップしていて、純粋で純朴な線もハルモニ特有の個性として確実に定着しつつあった。私は、そんなハルモニの姿が内心とてもうれしくてほほ笑んだ。

「美術の先生、韓国の地図を描きたいんだけど、一回も描いたことのない地図をどうやって描けばいいの？」

私が地図を一枚描いて見せると、ハルモニは画用紙にクネクネした線でゆっくりと丁寧にまねて描いた。チマ・チョゴリを着た南北のハルモニたちが軍事境界線のない朝鮮半島の地図上で出会う姿を見ているだけで胸が熱くなった。絵の中の二人のハルモニが幼い頃にはこの半島は一つだったのだなと思うと、南と北が分断されたのもさほど昔のことではないと思われた。

金ハルモニは次に、朝鮮半島を囲むムクゲを描くと言った。ハルモニは、絵が上手な姜徳景ハルモニを頼りにしていた。姜ハルモニが描いた素材をじっと見てまねて描いたり、変形させて描いたりした。それで、姜ハルモニの絵と似たような絵を描くことが多かった。金ハルモニは、ムクゲが咲いた朝鮮の地に日本の軍人たちの手が忍び込んできて、おいしそうに熟れた梨をもぎ取っていく姜ハルモニの「梨をとる日本軍」が印象深かったのか、自身もムクゲが描きたいと言った。ムクゲは南北のハルモニたちが出会う絵によく合う設定でもあった。

「韓国の花はムクゲじゃない。昔、私が子どもの頃はどの村にも垣根にムクゲを植えてたもんだよ」

ハルモニは、ムクゲの色や形についての物語を混ぜ合わせて透明感のある水彩画を描いていった。青い海を背景にムクゲが咲き囲む朝鮮半島の地で南北の日本軍性奴隷制被害者たちが出会う温かい絵が完成した。

私は、金ハルモニが描いたこの絵を、統一を願う絵なのだろうと思っただけで、それ以上のことは考えなかった。ハルモニたちは、性奴隷を強制的に動員した事実を認めない日本政府を相手に闘いながら海外に行ってよく証言をしていたし、その過程で北の被害者ハルモニたちとも出会ったのだろうという程度に考えていた。

ところが意外にも、この絵には実際の主人公がいたのである。南の金学順ハルモニと北の金英実《キムヨンシル》ハルモニだ。1992年12月9日、東京で開催された「日本の戦後補償に関する国際公聴会」に南北の日本軍性奴隷制被害者が証言をするために集まった。北の金英実ハルモニの証言が終わると、それを聞いていた南の金学順ハルモニが突然壇上に上がり、自分と同じ慰安所にいたのではないかと問いかけた。場内は騒然とした。二人は抱き合って泣き、その場にいた全員がその光景を見て涙を流したという。

金順徳ハルモニは、その日の感動を絵で表現しようとしたのだ。話を聞いて絵が違って見えてきた。国を奪われた朝鮮の娘として生まれ性奴隷にされて傷つき、戦争と分断の歳月を経て老齢になって再び出会った二人。こみ上げる感情に言葉もなくただ泣くだけだったその切ない瞬間を思うと、軽く明るく感じられていたその絵が心に重くのしかかってきた。女性として受難の歴史を

全身で受け止めなければならなかったハルモニたちに、頭を垂れる他ない気持ちだった。絵が上手に描けたと明るく笑う金ハルモニに対しても切ない感動を覚えた。

金ハルモニがこの絵でムクゲを描いた経験は、その後ハルモニの力作である「連れて行かれる」で美しいムクゲが咲く朝鮮の野山を描く下地となった。

沐浴する娘たち

どういうわけか美術の時間に李容女ハルモニが絵を描くと言い出した。姜徳景、金順徳ハルモニが自身の話を描いた絵が、ナヌムの家に出入りしていた李容女ハルモニの関心を引いたようだ。ハルモニが絵をやめた理由が思い出されて笑いが出た。李ハルモニは、美術の先生が姜ハルモニと金ハルモニばかりひいきして、自分には関心を持ってくれないと言って絵をやめたのだった。

「容女ハルモニ、どんな絵が描きたいんですか」

ハルモニは「私も言いたいことが山ほどあるんだよ」と、スケッチブックを開いて私に聞いてきた。

「大きな軍艦を描きたいんだけど、どういうふうに描けばいい？」

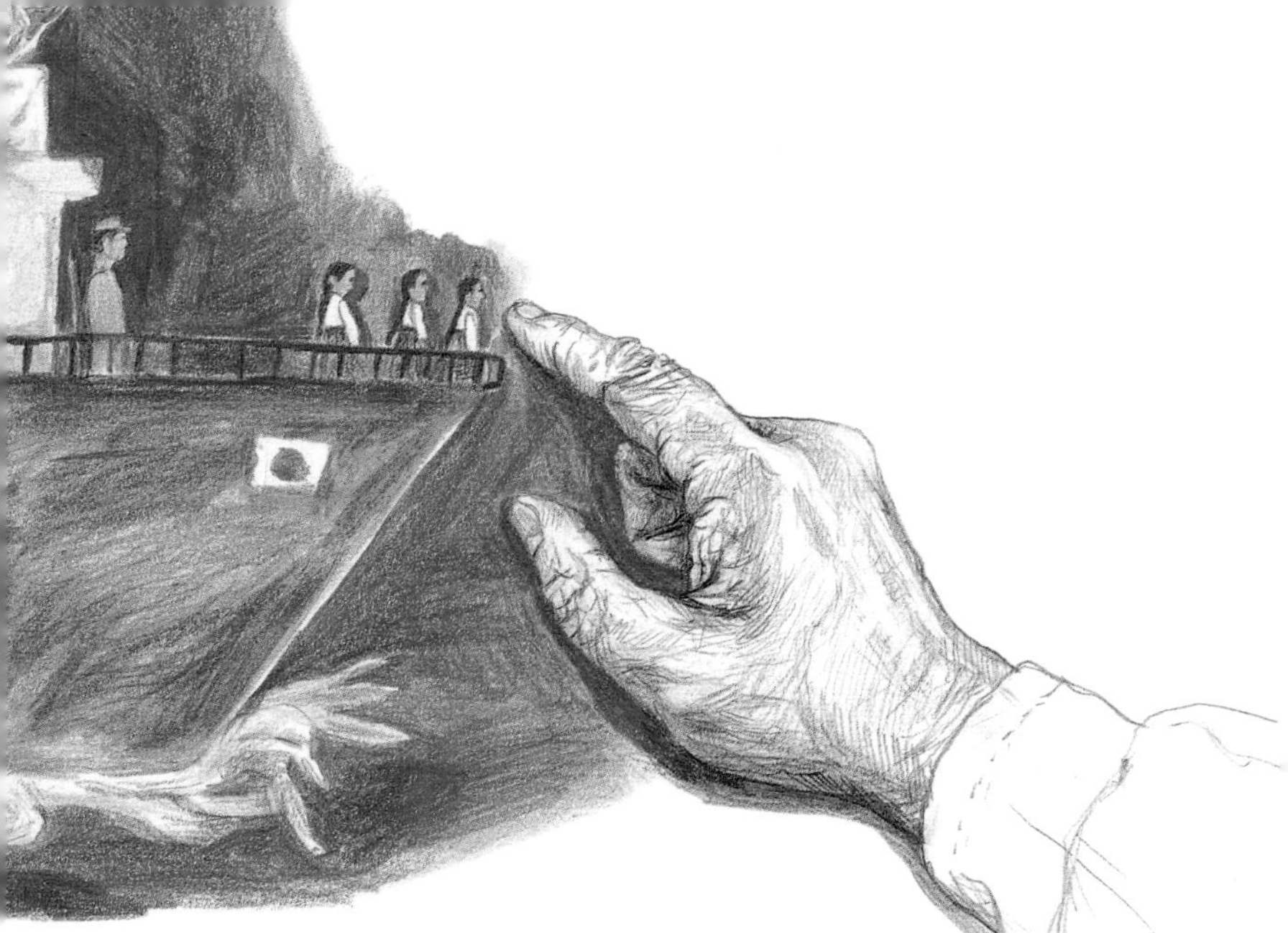

「私は軍艦を見たことがないからわかりません。ハルモニがまず説明してください」

「めちゃめちゃ大きかったよ。あんなに大きな船は生まれて初めて見た。中も運動場くらい広い。軍人たちと女たちが数百人以上乗ってたよ」

話していたハルモニが船の形を思い出したらしく、スケッチブックの左側に大きな軍艦の先端部分を描き始めた。

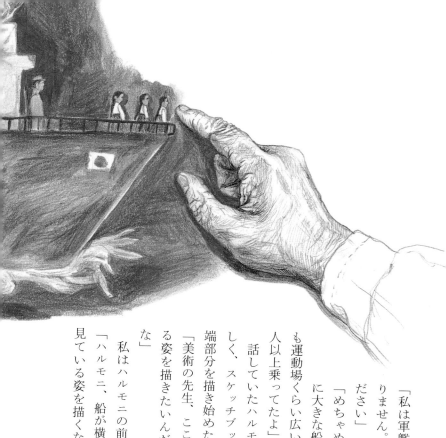

「美術の先生、ここから海を見ながら立っている姿を描きたいんだけど、どう描けばいいかな」

私はハルモニの前に立った。

「ハルモニ、船が横向きだからハルモニが海を見ている姿を描くなら横向きの姿を描かないと。私を見て描いてみてください」

李容女ハルモニはやはり絵の素質があった。人物の横向きの姿を難なく上手に描いた。ハルモニは甲板の上にチマ・チョゴリを着た女性三人を描いた後、その背後で彼女たちを見張る日本軍人を描いた。絵を見る視線は自然と、船と人が描かれた左側から何もない右側へと向かっていく。女性たちは空と青い海が果てしなく続く先を見ているようにも思えるが、銃を持って後ろに立っている日本軍人の姿から、あたかも自分たちの不安な未来を見ているようにも見える。

「ハルモニ、横向きの姿を描くのは難しいのに、とても上手に描けてますね」

私がほめると李ハルモニは子どものように笑って喜んだ。うれしくなったハルモニは自分の話をしながら絵を描いた。

「何日行ったのか思い出すこともできないんだよ。寝て起きても海、また寝て起きても海。船が揺れると女たちは船酔いして吐いて死にそうだって大騒ぎだった。本当に遠かったよ。船に乗って一カ月以上かかったような気がする。あんまり息苦しいから空気を吸おうと思って友だちと甲板に出たんだけど、どこに行ってもこいつらが必ず監視してるんだ。その時、船の中で日本の軍人たちが話すのを聞いて、女たちが慰安婦にされるってことがわかったんだよ。私は日本人の家でも働いてたし、食堂でも働いてたから日本語がわかったんだ。でも、そうやって聞いたからって何になる？　慰安婦が何なのかわからないんだから。ああ、そうなのかって思っただけよ」

まだ16歳にしかならないから慰安婦にされると聞いてもその意味がわからなかったという李ハルモニの声が居間に悲しく響きわたった。

「ハルモニ、船にそんなに長く乗ったってことがどうしてわかったんですか」

「日が昇って暮れるのが見えるじゃない。初めは一日、二日って数えてたけど、あんまり長くかかるからしまいには諦めちゃった」

「海で日が昇って暮れるのを見たんですか」

「見たさ。海に日が昇って暮れるのを生まれて初めて見たよ。真っ黒な海が少しずつ明るくなって赤くなったと思ったらサーっと日が昇って、また日が暮れる頃にはスーっと落ちていくのが本当に不思議だったよ」

「本当に壮観だったでしょうね。じゃあ、その様子も描いてみたらどうですか」

「じゃあ、この辺にお日さまを描いてみようか？」

ハルモニは船の横に昇っていく太陽を描いた。ハルモニの過去が絵日記のように一つずつパズルを合わせていっていた。

「そんなふうに苦労してどこに到着したんですか」

「はじめはそこがどこかもわからなかったよ。ビルマのラングーン（現ミャンマーのヤンゴン）だって後で知ったよ。そこが地獄だってことも知らないで、船から下りるって聞いてうれしかったよ。そうだ！　到着した場所もここに書かなくちゃ」

ハルモニは画用紙の右端に小さな島を描いた。そして今日はもう全部描いたと言い、絵を仕上げた。

日中戦争に次いで太平洋戦争に突入した日本は、太平洋地域の各所に膨大な数の慰安所を設置した。朴玉蓮ハルモニが南太平洋のラバウルに行ったように、李ハルモニはビルマ最前線の慰安所に連れて行かれた。

「この先頭に立ってるのが私で後ろの二人は友だち。あいつらが看護師として就職させてくれるって言うからだまされてついて行ったんだよ。初めは日本に行ってお金もたくさん稼いでおいしいものも思い切り食べられるって言ったら、友だちがいいなってうらやましがるから、私が一緒に行こうって友だちを誘ったのよ。何もできなくても、行って訓練を受ければすぐに就職できるって言うからだまされて行ったのよ。それでも友だちが一緒だから心強かったよ。お金が稼げると思って他の心配はしなかった。あんなとんでもないところだなんてわかるわけないじゃない」

気分屋さんの李ハルモニは、つらい傷口を語る時にもサッパリとした調子で語った。

「解放を迎えてしばらくしてから、一緒に行って向こうでわかれた友だち二人のうち一人には会えなかったけど、トッスリは仁川《インチョン》の市場で見かけたよ。でも何も言わないでそのままやり過ごしたよ。だって何も言えないじゃない。私が悪いんだもの。私が行こうって言ったんだから」

快活なハルモニの声が再び暗くなった。普段大胆で遠慮のないハルモニの見かけの中に隠された繊細な気持ちが顔をのぞかせた。

「ハルモニ、この絵のタイトルは何にしましょうか」

「慰安所がどんなところがわかっていたら行かないよ。だまされて連れて行かれたんだから『連れて行かれる朝鮮の娘』にしようか?」

李容女ハルモニはその後またしばらくあらわれず、8月になってナヌムの家にまた戻ってきた。そして美術の時間に参加した。ハルモニはしばらく考え込んでいたかと思うと、鉛筆を手に取り、迷わず絵を描いていった。画面の中央に大胆に瓦の垣根が描かれた。

「仏さまを描きたいんだけど、どうすればいい?」

ハルモニが突然、仏の話をするので私は不思議に思った。

「仏さまというと、何が思い浮かびますか」

仏さま? おでこにホクロがあって、頭に小さくて丸いのがあって、後ろにも丸いのがあって……」

「お釈迦《しゃか》さまは元々王子だったんですよね。だからとりあえず男性を描いてみましょう」

ハルモニが人を描いて頭には丸いものを描きおでこにホクロを入れると、おおよそ仏の姿が出来上がっていった。ハルモニは仏の像を三つ一生懸命に描いた。その次に、家の後ろに井戸を描き、水をくむ女性を描いてから、再び私のほうを見た。

「ここが、女たちが沐浴する井戸なんだけど、桶に水をくむ姿が描けないよ」

「ハルモニ、私が綱を引っ張って引き上げるポーズを取ってみますね。それを描いてみてください」

ハルモニは井戸から水をくみ上げる姿を描いた。

「私が水をくんで、他の人が横で沐浴をしたんだよ。こんなふうに座って」

李ハルモニは絵を描いている途中で沐浴するポーズをして見せた。自分でポーズを取って絵を描くと、もっとやりやすい様子だった。次にハルモニは、それを見ている日本軍人を描いた。

「こいつらが、私たちが逃げるんじゃないかと思って沐浴するところまでついて来て見張ってるんだよ、悪いやつらが！」

李ハルモニは、絵に描いた日本軍を鉛筆でたたきながら絵を描いていった。最後にハルモニは沐浴する女性たちの後ろに、人の背丈くらいのサボテンと山を描いた。

「ハルモニ、サボテンを描いた線がとてもいいですね」

「ここに実際に行ってなかったら描けないよ。見たとおりに描いてるだけだよ」

「なぜお寺を描いたんですか」

「あの時、日本軍はあっちこっち移動したんだよ。トラックに乗って山間をしばらく行って、どこだか「ロ」の字型の家に着いたよ。古く見えたけど、屋根は高いし、家の中には両側に階段があって、2階だけでも部屋が20個もあったよ。昔、お寺だったのかどうかはわからないけど、門の前に仏さまの像がいくつもあったよ。私は毎日、仏様にお祈りしたよ。早く抜け出させてくれって。やつらが一人入って来るとベルトも締める前にまた入って来るんだよ。だからあそこじゃとても耐えられない。このまま死ぬんだなと思ってたんだよ。実際に死んだ女たちもいたし。私も、病気にかかった時に、薬を飲んでから家に帰りたくなって、半分気が狂ったみたいに夜ごと歩き回ったことがあるらしいんだよ。防空壕《ごう》に水たまりがあって、そこに入って泳いで家に帰るって言い張ったらしい。気がおかしくなってたんだね。後で正気に戻った時に周りからそう言われたんだよ」

ハルモニは乾いた涙をたたえたまま、お酒を飲むと必ず飛び出す「水たまり」の話を繰り返した。

無慈悲な戦争は、すべてを破壊し奪い尽くした。宗教も、若い女性たちの魂も、例外ではなかった。性奴隷として連行された女性たちが銃剣の脅しの前でかろうじてできたことは、仏の慈悲にすがって祈ることだけだった。この絵は、暴力と殺生を許さない仏と、少女たちを性奴隷として蹂躙した残酷な日本軍が対比されて、大きな問いを投げかけている。李容女ハルモニは「沐浴する娘たち」を残して再び去っていった。

連れて行かれる

1995年は、ハルモニたちの絵の実力が日進月歩で伸びた年だった。授業をしなくても姜徳景ハルモニは毎週、新しい絵を描いた。授業はその絵を見て感じた点を討論する形に変わって行った。そして、その中で気に入った絵を大きなキャンバスに描き写す作業をした。姜ハルモニが大きな絵を描くと、金順徳ハルモニも気持ちがあおられる。金ハルモニにとって姜ハルモニの絵の実力は羨望の対象だった。姜ハルモニは夜中に一人で絵を描くことが多かったが、金ハルモニは先生がいなければ安心して絵を描くことができないので、授業が一週間に一回しかないことを残念がった。おそらくこの時期が、授業を開始して以来、金ハルモニが最も強く美術の先生を待ち焦がれた時期だったと思う。金ハルモニはたびたび手伝ってほしいと言って私を困らせた。金ハルモニの考え方を変えるためには、美術の時間の他に別のエネルギーが必

要だと思った。私は、ハルモニの絵の実力が伸びたことをしょっちゅう褒めて自信を持つよう励ます一方で、ハルモニの独立心を養うためにこれからは一人で描かなければならないと強調したが、そのたびにハルモニは寂しがった。そのような中でも幸いだったのは、絵の構想という最も重要なことについては、ハルモニが一人で考えたという点だった。

「ハルモニ、絵の上手な画家たちもハルモニのように純粋な絵を描きたいと思っていることが多いんですよ」

「アイゴ、そんな人たちが私みたいに描こうとするわけないじゃない。美術の先生ったらまた私をからかってる」

他の誰の絵でもない、ハルモニだけの絵に意味があるのだから、下手でも自分の絵が一番だと思うようにしてほしいと何度も言ったのだが、馬の耳に念仏だった。

絵を描く時に引くシンプルな線からも、さまざまな感情を感じ取ることができる。金ハルモニの線は遅くて震える線だ。そのような線からは、速くて強い線からは感じることのできない素朴さや慎重さが感じられる。金ハルモニの線は、それまでの努力によってじゅうぶんに意味のある線になっていた。金ハルモニの線には、純真だった17歳の時にお金を稼ぐために日本の工場に就職しようとして性奴隷にされてしまった少女の怖れや震えがそのまま込められていた。しかしまだ、ハルモニの線も、考えも、愚直な牛のようにゆっくりと一歩一歩、前に進む必要があった。

　再び美術の時間が来た。金ハルモニは私を見るやいなや私の手を引いた。ハルモニはキャンバスの布を広げて絵を描く準備をしていた。忙しくいろいろな仕事をしながら絵の場面を数日間考え続け、ついに頭の中でスケッチを描き終えた様子だった。

「ここに、こんなふうに女の子を描きたいんだけど、どうすればいい？」

　布団のように大きなキャンバス布は、いまだハルモニにとって手ごわい相手だった。ハルモニの構想をまったく知らない私は、ハルモニが何を考えているのか探るために笑いながら質問した。

「ハルモニ、ここはどこですか？」

「ここは海よ。それからここは朝鮮で、あっちは日本」

　金ハルモニは何も描かれていない大きなキャンバス布を指さしながら言った。

「私は連れて行かれまいとして朝鮮の地に足をぴたっとくっつけてるんだけど、あっちから日本人が私の手を引っ張るのよ。それで私がこんなふうに腕を広げているわけ」

　金ハルモニは両腕を広げて、もうすっかりその現場に入り込んでいた。

「それまで山奥に住んでたんだから私にわかるわけないじゃない！　うちがあんまり貧しいから口減らしもして、工場に行けばお金も稼げて飢えることはないだろうって思っただけなの

よ。なのに、どこからあんなにたくさん来たんだか、女の子がすっごく一杯集まってたの。あいつらが朝鮮の女の子を全部連れて行ったんだ。連れて行かれる前は何にも知らなかったんだよ。どこがどこだかもわからないし、何をするところなのかもわからないし……」

明るい金ハルモニが物思いにふけってしばらく黙り込んだ。

「ハルモニ、絵の中央に女の子がいるなら顔の表情が一番大事ですね。連行される朝鮮の少女の気持ちを表情でよく表現しないと。ハルモニ、驚いた時には顔がどんなふうになりますか？　一緒にやってみましょうか。どう見えるか言ってみてください」

私はハルモニの前で驚いた表情をつくって見せた。

「驚くと白目もたくさん見えて黒い瞳が全部見えるね」

「それじゃあ口はどうですか」

金ハルモニがもう一度驚いた表情をする。

「驚いた時には息を大きく吸い込むから口もパカッと開くんだね、こんなふうに」

金ハルモニは手で一つ一つ確認しながらスケッチをしていった。そして絵が完成するまでキャンバス布を折ったり広げたりしながら広い空間を求めて台所から部屋へと運んで絵を描いた。いったん座ったら立ち上がるのもしんどい身体で必死に絵を描いた。

「アイゴー、しんどいねー。蒸し暑い中で絵を描くもんだから膝の裏にあせもができちゃった

よ」

もっともな話だった。猛暑の真っただ中の7、8月に、扇風機一つで暑さと闘いながら絵を描いたのだから。

「あの広い玄界灘を全部塗ったんだから大変でしたよね」

私が相づちを打つと、ハルモニは美術の先生が面白いことを言うと言って明るく笑った。そんなふうに大笑いをすると少しは暑気払いができたような気がした。大きなキャンバスの絵を一人で完成させるのは容易なことではなかったが、金ハルモニは猛暑に疲れることもなく最後までやり抜いた。

金ハルモニの「連れて行かれる」は、工場にお金を稼ぎに行くとばかり思っていた純真な山奥の少女順徳の驚く気持ちを、単純ながらも明確に表現していた。少女を連れて行く日本軍の具体的な形象を省略して恐ろしい手だけを描いたのは、詳しく描くのが難しかったせいだと思われるが、かえってその選択が素晴らしい結果を生んだ。恐ろしく悪辣で残忍な存在は、目に見えないところに隠れているほうが余計に恐ろしいものだ。50年以上の歳月が流れてもなお、被害者たちはまるで昨日のことのように悪夢にうなされ、怪物にとらわれたまま生きていた。

形のないその怪物は、国が解放されて世の中が変わっても、金ハルモニを最後まで追いかける亡霊のようだった。ハルモニは、その亡霊を具体的な形象の中に閉じ込めないことで恐怖を拡張させた。そして、年若い頃に日本軍に連れられて去ることになった故国と、生きて帰って来た後も羞恥心ゆえに戻ることができなかった故郷に対する思いが、いくつかの象徴となってハルモニの心の中に留まり絵で表現されていた。ムクゲが咲きカモメが飛ぶ美しい山河、そして仕事に明け暮れていた幼い頃の自分自身を投影させた牛や鶏などの絵は、金ハルモニが生涯胸に秘めてきた熱い思いを表現したものだった。

絵を描き終えたハルモニは、少し前を歩きながら振り返り、どうしてそんなにのろのろと歩いて来るのかと私に目配せする牛のようだった。ゆっくりとした慣れない線で慎重に描いた故国の山河に、金ハルモニの痛みが加わり、悲しくも美しい童話になっていた。その後、ハルモニはメディアのインタビューに答えてこの絵について話すたびに、真夏の苦労が思い出されるのか、美術の先生が一つも手伝ってくれないから自分一人で全部描いたと強調した。そのたびに私は笑ってしまった。もっともな話だったからだ。

責任者を処罰せよ

日本人の大学生の一人がナヌムの家を訪問した。韓国語を上手に使う彼は、ハルモニたちと親しく対話し、楽しく一日を過ごした。彼は、ハルモニたちにやさしかった。傍らで見ていて、少なくとも彼は日本の過去から目を背けない正義感の強い青年に見えた。しかし、帰り際に彼は本心をあらわにした。彼は、日本軍性奴隷制問題に対する日本の政治家たちの遺憾表明は心からの謝罪だと力を込めて強調した。おわびしているのに責任を取れと要求し続けることには無理があると言った。私は、この青年が一日中示した親切に疑念を抱いた。何らかの目的を持って、特別な任務を負って来たのではないかと怪しまれた。

1991年、金学順ハルモニが名乗り出ると、日本軍性奴隷制被害者たちの証言が後に続き、日本軍が慰安所運営に関与した証拠が続々と出て来た。日本の政治家たちは談話などを通して被害者に遺憾の意を表明した。そして、国家レベルで公式に賠償をするのではないかと思われた。ハルモニたちは大きな希望を持っていた。しかし、状況はそんなに簡単ではなかった。日本軍性奴隷問題の解決は、日本国内の強烈な右翼たちの圧力によって、きちんとした法的・公式的賠償ではないアジア女性基金(7)といういびつな民間募金の方向に進んでいた。ハルモニたちは大きく混乱した。生涯お金のことで苦労してきたハルモニたちにとって、彼らがくれるというお金は誘惑に満ちたものだった。いつ死ぬかもわからないのだからそのお金でももらってから死にたいというハルモニたちと、強制的に慰安所に閉じ込められてされたことを思うと今でも頭に血が上るのに、軍の関与はなかったと言っていたかと思ったら今度は民間の見舞金なんかで口封じをしようとするなんて話にならないというハルモニたちの間で反目が生まれた。ハルモニたちを慰めるために出すという彼らのお金は、ハルモニたちの傷口を広げる諍いの種になっていった。

ハルモニたちは落胆した。50年間積もり積もった恨《ハン》を晴らせるかもしれないという期待が一気にしぼんだように見えた。毎週、日本大使館前でおこなわれる水曜デモの最前列に立ってきた姜徳景ハルモニ、金順徳ハルモニも、怒りのやり場を見つけられずにいた。鬱憤がたまって、まるで熱い火だねを胸に抱え込んでいるような様子だった。長い歳月、苦しんで来たハルモニの気持ちを慰めるべき日本政府は、赦《ゆる》しを乞う最後のチャンスまで逃してしまった。ハルモニたちを見ている私もいたたまれなかった。あるハルモニは、日本人はそんなに生やさしいものじゃない、自分たちが愚かだからまた日本にしてやられたのだと嘆いた。しょせんかなうはずのない夢を見ていたのだと嘆くハルモニもいた。失望と怒りでハルモニたちは食事も喉を通らない状態だった。賠償金問題は50年間、傷を抱えて生きてきたハルモニたちにとって2次被害となっていった。

明るく前向きな金順徳ハルモニでさえ毎日怒っていたし、姜徳景ハルモニも口を固くつぐんで以前のような冷たい目つきに変わっていった。

ハルモニたちは胸がざわついて絵が描けないと言った。私はハルモニたちのことが心配だった。

そんなある日、姜ハルモニが雑誌から切り抜いた写真を見せてくれた。ハトが空に向かって飛んでいく写真だった。

「美術の先生、これちょっと見て。白いハト」

ナヌムの家に着いて、まだ靴も脱ぐ前だった。

「ハトは飛ぶ姿が本当に平和で自由な感じがしますね」

私の返事が気に入ったのか、姜ハルモニの口元にうっすらと笑みが浮かんだ。ハルモニは、ハトを見てインスピレーションを受けたに違いない。私はホッとした。腹を立てて鬱々《うつうつ》としていたハルモニに変化の気配が感じられたからだ。

姜ハルモニが再び白いキャンバスの前に立った。数日間、頭の中で絵を構想していたらしく、大胆な筆さばきで描き始めた。心の中に詰まっていた暗く悪い気配を引っ張り出す勢いで筆が素早く動いた。太い木の幹が描かれ、その先に奇怪な形の枝が思い思いの方向に伸び始めた。黒い枝たちはまるでメドゥーサの頭にとぐろを巻く蛇のように邪悪にうごめいていた。木の様子が尋常ではないので、私は何の木かとハルモニに尋ねた。ハルモニは桜だと答えた。瞬間、私は絵の中の木が以前に描いた「奪われた純情」の、丘の上の桜の木と同じ意味だと理解した。最初に描いた桜の木が、幼い徳景に性暴力を加えた軍人と一体に描かれて戦争を起こした日本を象徴していたとしたら、今描かれている桜の木は、過去の過ちを反省することなく法的責任を回避する現在の日本と関係があるのだなと思った。花と葉がハラハラと落ちていた最初の木は命尽きて、死んだ古木のように黒く奇怪に変化していた。

続いてハルモニは、赤い絵の具をパレットに搾り出した。チューブに閉じ込められていた赤い絵の具が外に出て来た。ハルモニは大きな筆を選んで握った。幅広の太い筆の毛先が赤く染まる。ハルモニは、白いキャンバスに赤い筆を大胆に振り下ろしたかと思うと、少し止まって大きく息を吸った後、筆を動かし始めた。筆は、赤い跡を残しながら素早く、荒々しく滑っていった。これまでに見たことのない強烈な怒りが画面を覆っていた。ムンクの「叫び」に見られる不安な恐怖のように、姜ハルモニの内奥の不安な怒りが、黒い木を今にも燃え尽くしそうに赤く囲んだ。ハルモニの赤い憤怒がキャンバスの上にドッと吐き出されていた。血に染まった空に囚われた黒い木が奇怪な欲望にうごめいているように見えた。

ハルモニは一瞬も休むことなく目に力を入れたまま木の幹に一人の男を描き入れた。ロひげを生やし、ポマードを塗ったように髪をきれいにといてパイプをくわえた男は、明らかに身分の高い人物だ。私はすぐに、それが誰かわかった。天皇ヒロヒトである。

日本軍性奴隷制被害者は、これまで一人で抱えてきた秘密を世に知らせればすべて解決すると期待していた。しかし、被害当事者たちが血を吐くような思いで証言しても、日本

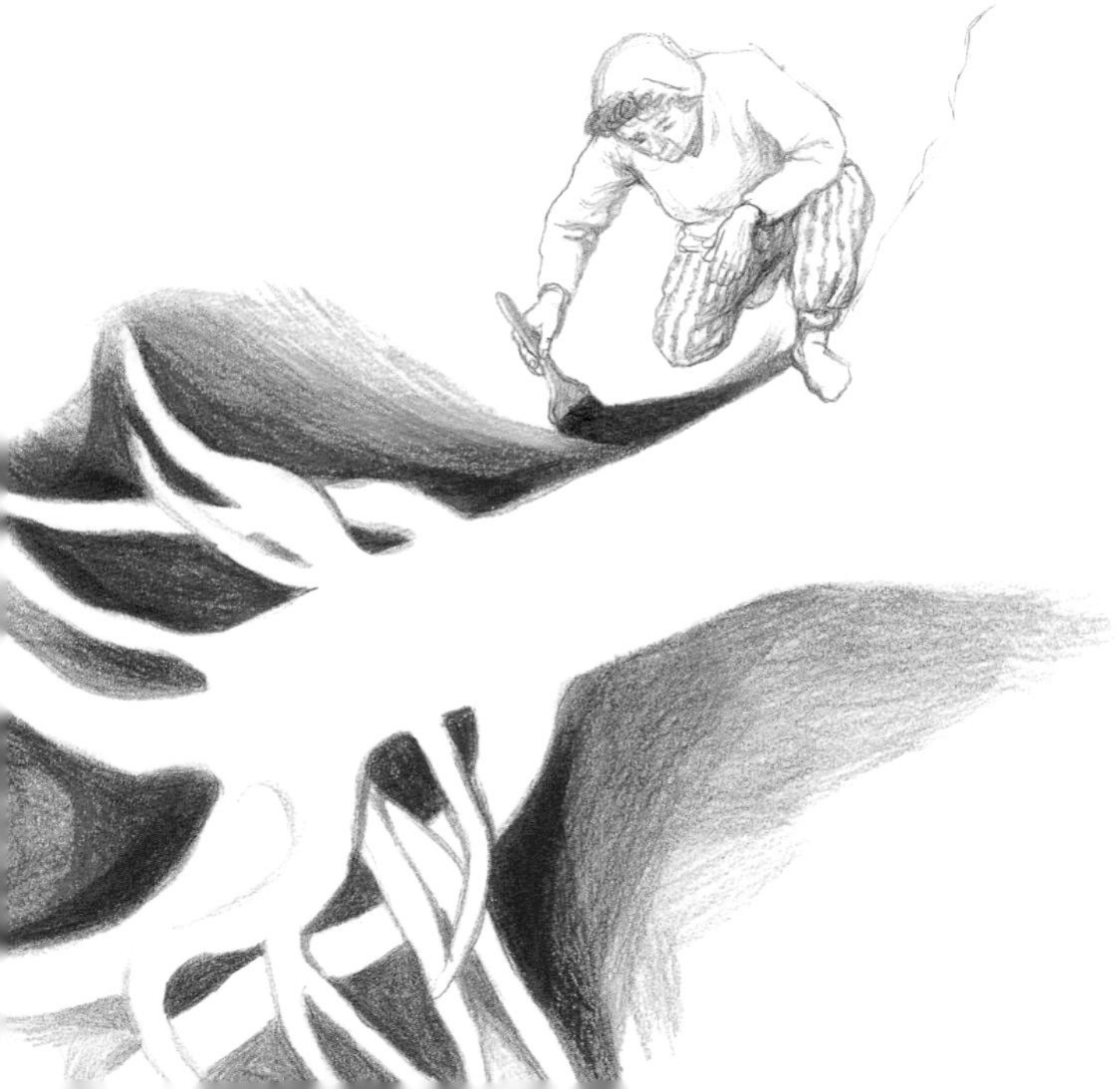

政府は日本軍の責任を正面からきちんと認めようとしなかった。そのたびにハルモニたちは胸に杭を打たれたかのように怒り苦しんだ。ところが明白な証拠が続々と発見されうそが通じなくなると、彼らはきちんとした解決ではなく民間のお金でごまかす欺瞞《ぎまん》的な態度を示した。ハルモニたちの怒りは頂点に達した。法的な責任を取らずに見舞金のみを出すという提案は、ハルモニたちにとって侮辱だった。ハルモニたちが望む謝罪が実際になされたとしても、苦しみの中で過ごした歳月を取り戻すことはできない。日本政府に公式に謝罪させ法的な責任を果たさせることこそが、ハルモニたちに残された最後のプライドであり、最後まで守らなければならない名誉だった。そして、彼らに対する姜ハルモニの怨みは、自身に直接性暴力を振るった軍人たちを越えて、そのことに責任を有する者を召喚させた。

ハルモニはその者を木の前に立たせた。その者の足は数百の根とつながり、頭には蛇のようにクネクネとした枝が伸びていた。日本の天皇が描かれた木は、帝国主義というむなしい欲望が根から這《は》いずり昇って勢力を伸ばしていった日本そのものだった。木の正体がわかると、木の周りの赤い筆の跡が日本の野望によって性奴隷にされた女性たちの犠牲を象徴しているのだということもわかった。今や木は、無念の犠牲で出来上がった血の海に落ちて溺れていた。小さく痩せた姜ハルモニは、絵の中の天皇ヒロヒトを黙々と木に縛りつけていた。ヒロヒトは1945年8月15日の敗戦宣言で、他国の主権を奪い領土を侵犯したのは自分の意思ではな

かったとしらを切った。結果的に彼は、日本軍の戦争犯罪に責任を負わなかった。戦犯として起訴され皇位を奪われることを恐れ、自身の身を守ることにきゅうきゅうとしていたヒロヒトは、今や姜ハルモニに召喚されて惨めな首長の姿でハルモニの前に立っていた。

「美術の先生、この人を木にしっかりと縛りつけたいんだけど、そういうふうに見えないでしょ？」

「実際に縛るみたいに線を一度描いてみてください」

ハルモニは男の上に線を幾重にも重ねて描いた。

「さっきよりはちょっと良くなったけど、でも何か違う……」

ハルモニは後ろに下がって絵を眺めながら考え込んでいた。そして良いアイデアが浮かんだのか、表情が少し明るくなった。

「鉄条網がいいと思う。動けないよう

に」

私たちはスケッチブックに鉄条網を描いてみた。姜ハルモニは、昔たくさん見たと言いながら鉄条網がどんな形をしていたかを思い出そうとした。勤労挺身隊として連れて行かれた工場と慰安所横の軍部隊の周囲に張り巡らされていた鉄条網は、少女の自由を縛りつけた直接的なモノだったからこそ、ヒロヒトの自由を遮断しようとした時に、その鉄条網を思い出したに違いない。ハルモニは、鉄条網を描いた後、「やっとちょっと良くなった」と独り言を言った。そして木綿の布で彼に目隠しをした。ハルモニが彼を見つめる。全神経を研ぎ澄まして絵を描く姜ハルモニは、少し疲れて見えた。それでも目だけは、容易に近づき難い冷徹な蒼い光をたたえていた。

再び美術の時間になった。姜ハルモニが前回描き終えることができなかった絵を広げて待っていた。

「美術の先生、ここ、ここに拳銃を持った手を描きたいんだけどなかなか難しいね」

広げられた絵の上に拳銃が置かれていた。誰かに頼んでおもちゃの拳銃を買っておいたのだ。ハルモニの強い怒りはわかるが、おもちゃとは言え目の前に拳銃が置かれているのを見るとゾッとした。ハルモニは銃を左手に持って描き始めた。拳銃を持つ手の形が複雑で何度も描き直してやっと完成した。老いてしわが刻まれた手が3方向から木にくくられた男に向けて銃をかまえていた。それは、多くの日本軍性奴隷制被害者たちの気持ちを代弁する象徴的な表現であり、しわの寄った手は長い歳月がたったにもかかわらずいまだに謝罪も反省もしない日本に向けられていることを意味していた。絵を見るハルモニの目は真剣だった。

銃をかまえた姜ハルモニの気持ちは、これ以上退くことができない崖っぷちに追い詰められていた。そして振り返って彼に照準を合わせた。震える手で銃をかまえたまま、しっかりと目を見開いて真っすぐに彼を見すえた。ハルモニは、自身を崖っぷちに追いやった彼らの残酷さに、悲しい怒りを感じているようだった。ちょうどその時、横の部屋にいた金順徳ハルモニが姜ハルモニの絵を見に来た。

「あら、怖い。どうしてこんな絵を描いてるの？」

金ハルモニは絵を見るやいなやヒロヒト天皇だということに気づいた。戦争の恐怖が昨日のことのようによみがえったのか、ハルモニの瞳が不安げだった。

「徳景は子どももいないし、後のことが怖くないからあんな絵を描いても平気かもしれないけど、私は無理。子どももいるし、後のことが怖くて……」

金ハルモニが絵を描く姜ハルモニを見ながら秘密でも打ち明けるかのように私にささやいたのだが、その声は部屋中に響いた。姜ハルモニは、その言葉には何も言わずに、絵を見ていた私にもう一度聞いた。

「美術の先生、ハトって平和の象徴よね？」

「はい、多くの人がそう思っています」

すぐに姜ハルモニは鳥を描き始めた。赤い空が徐々に白い鳥でいっぱいになっていく。鳥たちは遊泳するかのように空を自由に飛ぶ。絵を描く間ずっと深刻だったハルモニの顔に少しずつ笑みが差し平穏になっていった。最後にハルモニは木に鳥の巣を描いて卵を描いた。しかし、卵が小さすぎてよく見えなかった。

「ハルモニ、後ろに下がって鳥の巣を見てみてください」

「あら、鳥の巣は小さいから小さく描いたんだけど、これじゃ全然見えないね」

ハルモニは恥ずかしそうに少し顔を赤らめた。

雑誌の片隅の純白に輝くハトの群れが強烈に視線を引いた時、おそらくハルモニは思ったはずだ。空を飛ぶ自由なあのハトのように、自分も生涯続くこのいまいましいわなから抜け出したいと。どのようなことがあっても心が平穏であることを切実に願ったに違いない。だからこそハルモニは彼を召喚しなければならなかった。16歳で性暴力を受けた後、訳もわからないまま何かに追われて逃げ続けた生涯の歩みを止めるため、すべての苦痛の頂点にいる天皇ヒロヒトを呼び出さなければならなかったのだと思った。ハルモニは、これ以上避けることなく終わらせるために、始発点を探し出したのだ。

絵には、今にも切れる弦のような緊張感が漂うが、銃声は聞こえない。ハルモニが50年たってしわの刻まれた手に銃を握ったのは、血の復讐をするためではなかった。おそらくハルモニは、今も続く日本の欺瞞に対して警告したかったのだ。そうでなければ命が絶えた木に、しかも日本帝国主義を象徴する桜の木の上に、平和の新しい巣をつくって鳥たちが卵を産む絵を描くはずがなかった。そんなふうに最後の希望を残したのだ。その卵は、すべての悪縁を絶ち切って、真の謝罪を受け、許しを与える希望の卵に違いない。姜ハルモニはこの緊迫した対峙《たいじ》を通して、被害者たちが望む謝罪がなされるならば、被害者の苦痛を超えて加害者を赦し、平和な未来に向かっていくことができると言いたかったのではないだろうか。被害者として加害者を赦す、一段階高い人類愛を込めた願いを表現したのではなかったか。

私は、姜ハルモニがこの絵を描きながら心の奥底にしまっていた憤怒を吐き出し、新しい生を選択したのだと感じた。絵を描く間ずっとこわばっていたハルモニの顔に笑みが浮かんだ時に、そう確信した。それまでの日々を苦痛と悲哀でやり過ごした悔しさから、今後の余生は変えたいという強い思い、しかし彼らは変わらないことを骨身に染みてわかっている、だからこそ自ら怒りをおさめて苦痛から抜け出すのだという気づきがあったのだと思う。過去は依然として忘れられない苦痛だが、それでも今日をよりよく生きなければならないから、絵を描き、展示もし、毎週水曜日には日本大使館の前でデモもして……。自由に軽々と空を飛ぶ、あの平

和なハトのように。数週間ぶりに取り戻した笑顔だった。ハルモニは口元に笑みをたたえたまま、鳥の卵を描き直すために再び絵の中に入っていった。

絵画になった苦痛

ハルモニたちの絵が一般人に初めて公開されたのは1995年2月、日本軍「慰安婦」問題アジア連帯会議(8)が開かれたソウル恵化洞《ヘファドン》のヨジョンド会館のレストランだった。そして、ハルモニたちを扱ったドキュメンタリー映画「ナヌムの家」(原題「低い声」)が上映されたトンスンアートセンター別館の回廊で、すぐに2回目の展示がおこなわれた。ハルモニたちの絵を紹介するには適切で重要な機会だった。これを機に、ハルモニたちの絵がメディアで少しずつ取り上げられるようになった。しかし、美術の先生としては少し残念な気持ちもあった。2カ所とも狭い空間で照明も不十分で、絵を鑑賞できる空間ではなかったからだ。ところがその後すぐに良い機会が訪れた。大韓民国国会挺身隊対策議員の会が企画して、日本でハルモニたちの絵を紹介できることになったのだ。日本で日本軍性奴隷制被害者たちの絵を展示できるということは本当に意義深いことだった。その年の5月、東京にある在日本韓国ＹＭＣＡで「歴史に隠された日本軍慰安婦」というタイトルで、ハルモニたちと他の画家たちの絵が展示された。当然、ハルモニたちの絵は日本のメディアの注目を浴びた。日本の大手メディアだけでなく、日本駐在のドイツ国営放送もハルモニたちの絵を撮影していった。平均年齢70歳の日本軍性奴隷制被害者たちが自身の傷を絵で表現したことに、多くの日本人が驚嘆を示した。ハルモニたちの絵は、日本の人々に情緒的に響くに値する絵だった。展示会場には大勢が訪れ、ハルモニたちがどのような経緯で絵を描くようになったのかを知りたがった。そしてその場で、東京以外の他の地域でも展示会を開きたいという要請が殺到した。展示は6月まで大阪、名古屋、三重県で続いた。

ハルモニたちの絵はすぐに有名になった。折しも１９９５年は解放50周年の年で、ハルモニたちの絵は時宜にかなった意義のあるものだったので、いろいろなところから招待を受けた。韓国から日本まで、絵の展示とインタビューが続く大きな関心に、ハルモニたちだけでなく美術の先生である私までびっくりしていた。素朴に始めた美術の時間に描かれたハルモニたちの絵が、人々にこんなに大きな影響を与えるとは思ってもみなかったからだ。人々の反応に励まされたハルモニたちは、もっと頑張り始めた。絵を描くために朝は早起きし、寝るまで一日中、絵を描いた。おかげで展示会のたびに新しい絵が加わった。

韓国で本格的に展示されたのは1995年8月だった。ハルモニたちに深い愛情を持っていた画家のキム・ゴニさんが企画した「咲ききれなかった花たちの叫び」という展示会だった。9月には光州望月洞《クァンジュマンウォルドン》の墓地で開かれた光州ビエンナーレに参加し、10月にはソウルの「芸術の殿堂」で開催された民族美術協議会主催の「解放50周年企画展」に参加した。

ハルモニたちの絵は1年間さまざまな都市を回って展示されたが、ハルモニたちにとって最も重要な展示は何と言っても日本の展示会だった。ハルモニたちを招待してくれた団体は名古屋の市民団体「旧日本軍による性的被害女性を支える会」と三重県の「アジア・太平洋地域の戦争犠牲者に思いを馳せ、心に刻む会」だった。両団体の代表であった宮西いづみさんを中心に良心的な日本人と在日同胞が、日本軍性奴隷制被害者の実情を知らせる活動を一生懸命におこなっていた。とりわけ姜徳景ハルモニと宮西さんは、1992年に初めて姜ハルモニが日本に招かれて証言をした時から特別な義姉妹関係を結び、友情をあたためてきていた。宮西さんは展示の主人公であるハルモニたちを日本に招きたいと熱望していた。私は宮西さんをはじめ日本の活動家たちの献身的な努力に初めて接して大きな感動を受けた。

東京や大阪の展示とは異なり今回はハルモニたちが日本に招かれて展示会に参加するというニュースが日本で再び大きな話題になっていた。私たち一行は名古屋に到着した瞬間から、日本のテレビ局の取材を受けた。ホテルにチェックインして夕食を食べにレストランに行くと、ほんの少し前に撮影した映像がテレビニュースに流れていた。新聞でも展示会のニュースが大きく取り上げられた。

翌日、私は広い展示会場で姜徳景ハルモニ、金順徳ハルモニ、そして日本の関係者たちと一緒に展示の準備をしていた。私と関係者たちは大忙しで絵を配置して壁に設置し、特にやることのないハルモニたちは会場に絵が飾られていくのを行ったり来たりしながら見ていた。その姿はまるで遠足前日の子どものように浮かれていた。考えてみるとハルモニたちはこれまで絵がきれいに展示された後で見ていて、準備過程を見たことはなかった。準備はいつも若い人たちに任されていたので、自分たちの展示だけれども展示前日の気分を思い切り感じてみる機会がなかったのだ。ハルモニたちは緊張感とワクワクとした期待で胸いっぱいになる、あの感覚を体験したことだろう。何もなかった白く広い空間に、絵が一枚ずつ掛けられていった。ハルモニたちは自分のものではあるが自身から離れて絵画になった苦痛たちをじっくりと眺めた。

そんなふうにしばらく絵を見ていた金ハルモニが姜ハルモニの2点の絵の前でぶつぶつと独り言を繰り返した。言いたいことを何度か我慢していたようだが、ついに姜ハルモニの手を引っ張って来て口を開いた。姜ハルモニが描いた「責任者を処罰せよ」と「私たちに謝罪せよ」が引っかかると言うのだ。いくら月日が流れて世の中が変わったとは言え、日本のど真ん中で日本の天皇に銃をかまえた絵を展示するのは怖いと言う。私はハルモニを落ち着かせよう

としたが、おびえた金ハルモニは徐々に確信に満ちて声を張り上げた。金ハルモニの心配を聞かされた姜ハルモニは、気分がいいはずがなかったが黙って聞いていた。金ハルモニの心配を伝え聞いた団体関係者たちが心配しないようにとハルモニたちを安心させようとしたが、金ハルモニの不安は消えなかった。私たちは金ハルモニの心配を知って、複雑な気持ちのままホテルに向かった。

太陽は力強く地球を回転させ再び朝をもたらした。陽の光が差す窓の外で鳥たちが早く起きろとさえずっていた。展示会初日にはハルモニたちの絵の展示と共に証言の時間が予定されていた。誰もが準備に忙しく動いていた。ところが突然の電話1本が、一瞬にして全員を緊張させた。ハルモニたちの絵をナイフで切り刻んでやるという脅迫電話だった。団体関係者たちは、日本が起こした戦争に対する罪の意識や反省のない極右の人だろうと言った。戦争が終わって50年たっても、誤った帝国主義的な思考をする人々がいまだにいるのだという事実を改めて確認する出来事だった。日本の帝国主義によって苦痛を受けたハルモニたちが感じる恐怖の深刻さが、その時になってやっとわかった気がした。金順徳ハルモニは一層不安になり、自分の予感が当たったと声を上げげた。展示会の記事だけで脅迫電話が来たくらいだから、天皇に銃をかまえた絵を見たらどんなことが起きるかわからないということだった。ハルモニの不安が伝わって、本当に誰かが絵を切り裂きに来るのではないかと緊張した。

開始時間が迫っていた。団体関係者たちはメディアがたくさん来るから大丈夫だろうとハルモニたちを安心させることに努めていた。しかし、テープカットのために並んだハルモニたちの表情はこわばっていた。テレビ局のカメラと新聞記者たちがハルモニたちを撮影した。大勢の日本人が展示会場にやって来た。絵の前に長くたたずむ人もいれば、ハンカチでそっと目頭を拭う人もいた。また、申しわけなさそうに、ハルモニたちには声もかけられずに黙って頭だけ下げてあいさつをして行く人もいた。それらの人々はほとんどが戦後世代だった。直接的な加害者ではないけれども、上の世代が起こした戦争によって引き起こされた野蛮な人権蹂躙《じゅうりん》に対し、そしてその事実を認めない日本政府について日本人として心から謝った。雰囲気が少しほぐれてきて、人々はハルモニたちに絵を描き始めたきっかけについて尋ねた。日本の人々は、ハルモニたちが絵を学んで、自身の物語を絵で表現したという事実そのものに驚いている様子だった。日本語でスラスラと対話できる姜徳景ハルモニが持ち前のハキハキした性格で自信に満ちて返答した。

絵に対する日本の人々の心のこもった反応はハルモニたちにとって新しい経験だった。これまでハルモニたちは、日本政府が公式謝罪はおろか被害事実すら認めないために、強制的に日本軍の性奴隷にされた事実を自ら証明しなければならない慘憺《さんたん》たる状況に置かれてきた。老いた身体を引きずって責任を回避する日本政府と闘う戦士たちの姿は人々のお手本にはなったが、一方でハルモニたちは過去に日本軍に蹂躙されたかわいそうで悲しい性暴力被害者としてのみクローズアップされる傾向もあった。ところが展示会は、証言や水曜デモとは違う他の力を発揮した。ハルモニたちが絵を描き展示することは、単に過去の被害者に留まらず、一人の人間として現在を生きていることを示した。観客たちは絵の展示を通して、日本軍に踏みにじられた傷を絵で治癒し生きているハルモニたちの堂々とした姿を見ることができたのだ。ここ数年のハルモニたちの暮らしは実際にそうだった。ハルモニたちが自身の苦痛と悲しみを絵で一つ一つ完成させるたびに自信と達成感もその分大きくなっていった。自然と、絵はハルモニたちにとって生きる目的となり、生きていくための方便となっていった。ハルモニたちに、日本軍性奴隷制被害者ということ以外に、自分自身のことを絵で昇華させる画家という新しい役割ができたのである。

また、ハルモニたちは絵の展示を通して変化していた。絵に対する人々の関心と愛情がハルモニたちを少しずつ変えていったのだ。ハルモニたちが過去の傷を、血を吐くような思いで証言する時と、絵で見せる時とでは様子がずいぶんと違っていた。絵に対する質問に笑顔で自信たっぷりに答える様子には、証言をする時には見られなかったプライドが垣間見えた。ハルモニたちにも、他の人に自慢したいことができたのだ。特に日本で開かれた展示会は、ハルモニたちが誰よりも素晴らしい人生を生きていることを観客たちに証明する場になった。彼らは、人生に対するハルモニたちの意志に驚嘆しているように見えた。絵を通して、ハルモニたちの痛みが日本人の心に大きく響いていた。

幸い展示会では何事も起こらなかった。ハルモニたちは脅迫のことはすっかり忘れて展示会の間中、観客たちを観察していた。そして時々、絵の前に行って観客の視線で自分が描いた絵を見たりした。ハルモニたちは長い間忘れていた自分自身を新たに発見していた。私はそんなハルモニたちの姿を後ろから見守った。それまでの数年間が走馬灯のように思い浮かび、胸が熱くなった。展示会の主人公であるハルモニたちは、私の何倍も胸躍らせていたことだろう。私がハルモニたちと出会ってから迎えた、最も完璧な瞬間だった。

最後の授業

姜徳景ハルモニが突然、倒れた。1995年の冬の巡回展示と証言集会を成功裏に終えた後のことだった。入院した姜ハルモニは、肺がん末期の診断を受けた。ハルモニ自身はもちろん、周りの皆が大きな衝撃を受けた。一緒に暮らすハルモニたちも、一番若い姜ハルモニが倒れたことに驚いた。姜ハルモニは一時的に退院したが、96年3月、再び入院して手術を受けた。そして、ハルモニは春がすぎても病院の集中治療室に入院したままだった。姜ハルモニのことが心配で仕事が手につかなかった。自然と、美術の授業も中断した。退院したハルモニは、少し回復したかと思ったらすぐにまたもっと悪くなる、の繰り返しだった。ただでさえ痩せた身体がさらに痩せ細っていった。

姜ハルモニは絵を描きたがった。小さなスケッチを何回かした後、1996年の秋ごろ、

身体の調子が少し良くなった時に再び筆を執った。久しぶりにハルモニと向かい合って座った。ハルモニは、もうキャンバスを出して絵を描いていた。身体の具合はどうかと尋ねると、ハルモニは大丈夫と言ってうっすらと笑った。絵を描くハルモニの瞳が深く澄んでいた。

ハルモニが白いキャンバスに灰色の屋根を描いた。ゆっくりとした筆さばきで日本の畳部屋の家を少しずつ建てていた。ハルモニは灰色の屋根の上に赤い太陽を描いた。太陽は、自分の重さを支え切れないといった様子で屋根にかかっていた。ハルモニのしわの寄った手が、畳部屋の家の前に緑の松の木を植えた。伸びやかに空に向かう木は、枝や葉が青く生き生きとしている。松は、戦争によってゆがめられた時代を厳しくたしなめるように、真っすぐに中心をつかんでいる。庭では頼もしい松に守られて緑の生命たちが競うように息づいている。ピンクや赤の花たちが祝砲を上げるかのように種をまき散らし楽しそうに宴を繰り広げている。姜ハルモニは、その花と花びらの生気をキャンバスにゆっくりと丁寧に埋めていった。灰色の家の庭に華やかな生命の歌が響き渡る。次にハルモニは慰安所の裏に濃い灰色の山を描いた。松代の灰色の山は、8月の真夏の庭の生気とはまるで違う、暗い秘密を抱えて裏手にそびえていた。その次には、松の後ろに消えそうにぼんやりとした日本軍人三、四人を描いた。彼らは、松代の陰鬱な秘密を知っているのか、何かコソコソと話している様子だ。最後にハルモニは、赤くて丸い太陽の中に囚われた若い自分自身を描いた。白い線で透明に描かれた少女は、ハルモニの人生の不吉な予知夢のように限りなく軽く感じられる。次にハルモニは、少女に似た白い鳥を描いた。鳥は口に手紙をくわえていて、囚われた徳景に何かを伝えようとしている。それが吉報を知らせる秘密の手紙であることを確信する徳景が丁重にその手紙を受け取ることで絵は完成した。絵を描き終えたハルモニが説明をしてくれた。

「この日は晴れていて暑かったの。でも、すごく変だった。真っ昼間なのに不思議なくらい静かだったのよ。日本の軍人が一人も来ないし、守備兵もいない。周りを見回したら、自分たちだけで三、四人ずつ集まって何やら話をしているの。捕まえる人もいないから道に出てみたら、そこも静かなの。座り込んで泣いてる軍人もいるし。しばらくして朝鮮語が聞こえたから見たら、男たちがトラックに乗って『大韓独立万歳』を叫びながらこっちに来てるじゃない。その声を聞いたら心臓がドキドキしたよ。日本に連れて来られた朝鮮人だったんだと思う。その中の一人が、解放されたって言ったの。その時にわかったのよ。日本が負けたって」

「ハルモニ、それを聞いてどうしたんですか」

「その人をつかまえて私も連れて行ってくれって頼んださ。服を1、2枚風呂敷に包んでそのまま後ろを振り返りもしないでついて行ったのよ」

ハルモニは話すのもしんどそうに深く息を吸い込んだ。その日、慰安所の外で会った人々は強制的に連行されてきた朝鮮の徴用者たちだった。「大韓独立万歳」という朝鮮語が耳に入った時、若い徳景の胸がどれほど躍ったか、どのような気持ちで涙ぐんだのか、私にはわからない。しかし、その日のハルモニの心臓の鼓動が、いま目の前で病魔と闘いながら繰り返される荒い息と同じくらい激しいものであっただろうと想像することはできた。闘病で敏感になったハルモニは、松代の慰安所で一人、感動の解放を迎えた日の記憶を淡々と記録していた。

「ハルモニ、屋根の上のこの丸はお日さまですか？」

「日章旗の赤い丸よ」

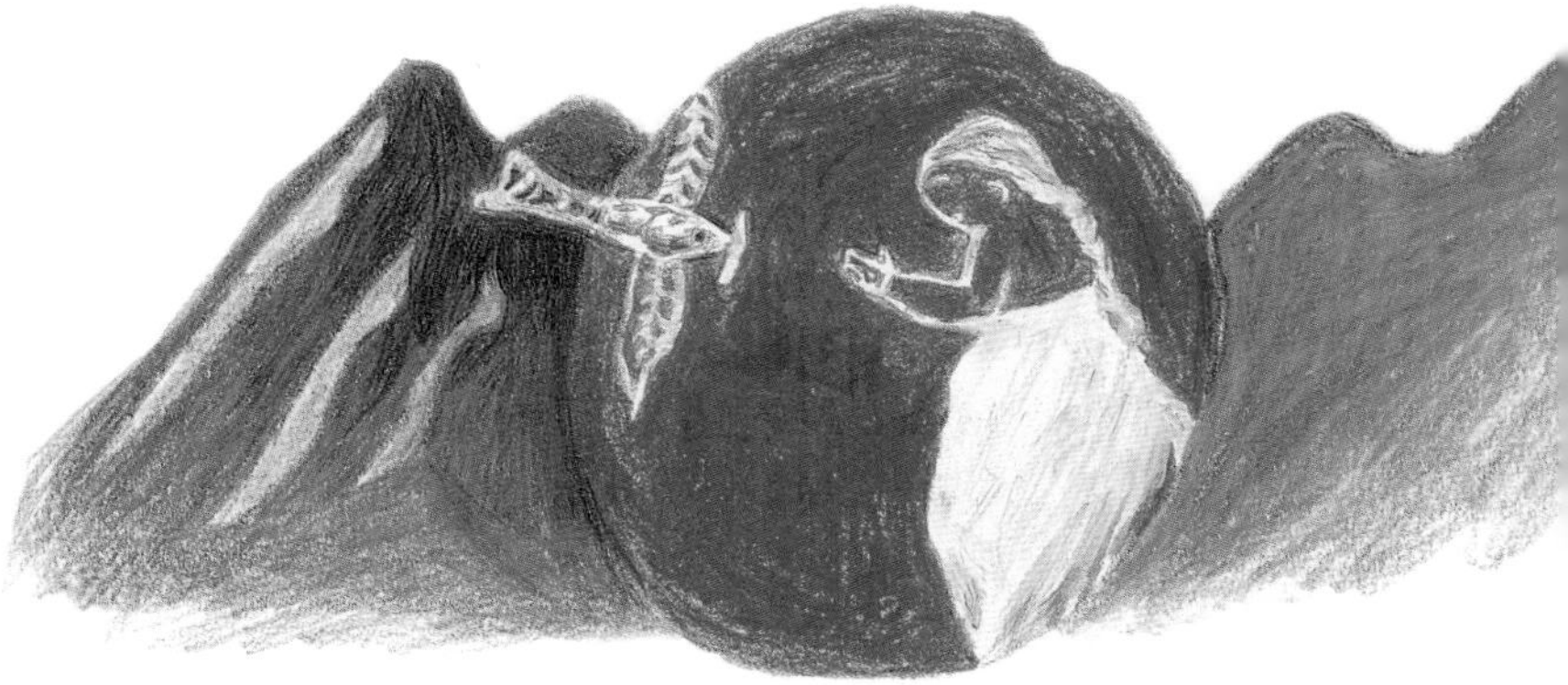

「鳥が口に何かくわえていますね？」
「うれしい知らせ。解放されたっていう手紙」
姜ハルモニの絵「松代慰安所」は、1945年8月15日の真昼の奇妙な沈黙を記録している。故国であったなら解放を迎えた人々と共に万歳を叫びながら街に出ていただろうが、ハルモニは敗戦した日本の松代にいた。松代は、日本軍が本土決戦に備えて軍事施設を建設していた場所だ。そこは山で囲まれた天恵の要塞《ようさい》だった。すべてが秘密裏に進められたため、松代全体に徹底的な保安体制が敷かれた。洞窟の中では強制的に連行されてきた7000人近い朝鮮人が、人知れず巨大な秘密基地をつくる重労働にさいなまれていた。日本軍は秘密保持のため、この場所に関する記録すら残さなかった。従って姜ハルモニが松代の慰安所を脱出するために情報を得ようとした努力は、そもそも不可能な挑戦だったのだ。ハルモニの表現通り解放は、苛烈に突き進む日本の荒唐無稽な欲望が突然消えうせた沈黙の中に登場した。

ハルモニはその沈黙の日を、人権蹂躙の場である松代の慰安所の風景として描き出した。そして屋根にかかる日章旗の赤い円の中には若い徳景の姿を判子のように刻みつけた。少女は日章旗の中に囲われた日本軍性奴隷女性の象徴になった。赤い太陽は姜徳景をはじめとするあまたの人々の生命と人権を蹂躙した重い罪に押しつぶされて、もう浮かぶことができない。そこに囲われている徳景に、白い鳥が一羽近づいていく。鳥は手紙を届ける伝書バトのように徳景に解放の知らせを伝えようとする。この絵では、徳景が愛する鳥から解放の知らせを受けるという表現が用いられている。あれほど待ち望んだ自由の報を受け取る徳景は自然と祈祷する姿になる。庭では草花の饗宴が華やかに繰り広げられる。生命が満ちあふれる8月の華やかな草花たちは、灰色の山に囲まれた松代慰安所の陰鬱な無彩色の雰囲気と対照的だ。ハルモニは、日本軍を実体が消えていくシルエットで表現して、自身が経験した帝国主義戦争の超現実的な時代が終わって行くことを暗示した。

私はハルモニのほうを振り返って見た。息を吸うたびに胸全体が揺れ動いた。ハルモニの激しい息づかいのように、慰安所から脱出した後も苦しかった人生は終わっていなかった。1945年8月15日、松代慰安所を抜け出した日、姜ハルモニは地獄から脱出したと思った。しかし、一度ねじれた運命は二度とハルモニの味方になってくれなかった。解放を迎えた18歳の徳景は妊娠していた。解放の数ヵ月前、初潮を見た徳景はすぐに身ごもった。しかし徳景は妊娠による身体の変化にまったく気づいていなかった。そしてその事実を知った時、徳景は故国に向かう船から玄界灘に身を投げる決意をするが、彼女の帰国を手伝った朝鮮人家族によって救われる。19歳で未婚の母となって戻った故郷の晋州では、勤労挺身隊として発った徳景が赤児《あかご》を抱いて戻ったのを見て人々がひそひそ話をした。徳景は日本軍の性奴隷にされた話をどうしても家族にすることができなかった。父親が誰かもわからない子を産んで戻った徳景を故郷にそのまま置くことができなかった母親は、知り合いに頼んで徳景を釜山に送った。子は教会の孤児院に預けた。食堂で働いてなんとか食べてはいったが、ねじれてしまった人生をどう生きていけばいいのか徳景は見当もつかなかった。父親が誰かもわからない、しかし仇の子であることは間違いないわが子を憎むべきか愛するべきかもわからなかった。徳景は一週間に一度、教会の孤児院を訪ねて木の陰から子どもを見守ることで母親の役割をした。ヨチヨチと歩くわが子は、同じ年頃の子に比べ小さく痩せてはいたがずいぶんと成長していた。そんなある日、わ

が子が着ていた服を他の子が着ているのでおかしく思った徳景はシスターを訪ねていった。シスターは、子どもは肺炎で死んだとだけ告げた。週末ごとに訪ねた孤児院への最後の訪問日となったその日、4年の間に徳景の網膜に焼きつけられた子どもの後ろ姿は悲しみの涙となって流れ落ちた。その後、姜徳景は結婚することもなく一人で放浪の人生を歩んだ。

性奴隷というおぞましい過去の傷は精神的にも、肉体的にも、姜徳景から離れてくれなかった。いくら歳月が流れても、悪夢は徳景を慰安所という地獄の縁へと引きずり込み、あの時代へと時計を巻き戻した。日本軍の性暴力が残した身体的な苦痛は子宮内膜症となってあらわれ、生理のたびに部屋中をのたうちまわりながら汗だくになった。40歳をすぎて生理がなくなった後は子宮内膜症も少しよくなったように思えたが、すぐに腎臓炎に見舞われた。姜ハルモニは、ヤクザのように投げやりに時を過ごしたと自らの暮らしを表現した。酒とたばこも慰めにはならなかった。肉体的にも、精神的にも、耐えきれない境界線の上にいた。誰の助けも受けられない、徹底した沈黙の中の苦痛だった。そんなふうにハルモニは疲れ切った身体を引きずって、世の中の周辺を浮遊した末に、1992年の秋、ナヌムの家にたどり着いたのだ。

苦難と逆境を一身に受けてきたハルモニの小さな身体が揺らいだ。強い抗がん治療のせいでいくらもなくなった髪の毛が帽子の端から飛び出していた。完成した絵を眺めていたハルモニが私を呼んだ。

「美術の先生」

「はい、ハルモニ」

「この絵の題名を『松代慰安所』にしようと思うの」

ハルモニは息を吐いたり吸ったりしながら、一言一言ゆっくりと発音した。

「松代慰安所」は、私が姜ハルモニと持った最後の美術の時間となった。それが最後になるとは、私もハルモニもわからなかった。絵が完成したのは1996年11月中旬で、その月の末頃に病院に運ばれたハルモニは、1997年2月2日午後3時10分頃、69歳の人生の幕を下ろした。

「これからやっと楽しく生きようと思ってたのに……、美術の先生、私、あと2年だけ生きたいんだけど……」

ハルモニが私に最後に残した言葉だ。病床で、やつれた顔で目をきらきらさせて、そう言った。私は、2年じゃ足りない、画家になったのだからこれから長く活動しないと、と答えた。それを聞いてハルモニは悲しい笑顔を浮かべた。日本軍の性奴隷にされて以来、50年を地獄で寂しく生きてきたハルモニが、やっと楽しく生きたいと思うようになったと言う。長い歳月、希望も意志もなく孤独な時間を受け流してきたハルモニに、今やっと平凡な人々が夢見る普通の人生を生きる欲が生まれたと言うのに……。ここ数年、ハルモニはすぎた時間を惜しむかのように誰よりも一生懸命に生きた。そしてその結果、特別にまぶしく咲き誇った。姜ハルモニが夢見た楽しい暮らしがやっと手に届くところに見えてきたのに、運命はこれ以上の時間を許さなかった。ハルモニの輝かしい瞬間はあまりにも短かった。私は、突然やってきた別れに、姜ハルモニをどう見送ればいいのかわからず、しばらくの間きちんとしたお別れもできないでいた。感謝の言葉ややさしい表現はなくても、澄んだまなざしを交わすことで互いを信じ頼り合えた、世代を超えた友情が消え去ってしまった。姜ハルモニは長い間、私の心の中にいとおしさとなって残った。

白い紙の上に震える手で最初の鉛筆の線を引き恥ずかしそうにしていたハルモニ、笑顔は自分のものではないとでも言わんばかりに美術の先生の褒め言葉にいつも照れくさそうに笑ったハルモニ、小さなお膳の上にスケッチブックを広げて一日中絵を描いたハルモニ、初めて性暴力を受けた場面を震える手で力強く書き上げたハルモニ、画家として展示会に集まった人々の前に立つ時に唇と頬に口紅と頬紅を薄く差したハルモニ……。

絵を描いたことが自分の人生で最も楽しいことだったという、ハルモニが最後に残した言葉が長い間、私の心に響いた。私は悲しいながらも、一方では慰められた。それは、姜ハルモニが美術の先生である私に贈ってくれた最後の感謝の言葉であり、悲しい別れに対する温かい慰めのプレゼントだった。

鳥になった姜徳景ハルモニ

姜徳景ハルモニが亡くなった後、ハルモニが使っていた部屋を見回した。小さな部屋に残されたハルモニの荷物は簡素だった。部屋の隅にハルモニがいつも絵を描いていたお膳があった。その上にスケッチブックと使い慣れた筆たち、汚れた水入れ、色鉛筆と絵の具が整然と並べられていた。数カ月間、白くほこりがかぶったまま主人を待っていたそれらは寂しげに見えた。お膳の横には小さなキャンバスが壁に立てかけられていた。キャンバスを裏返して絵を見た。ハルモニが一人で描いた絵だった。赤っぽいオレンジ色。絵は落潮に染まる西海の空のように赤い光に染められ、下のほうに1996年11月10日というサインがあった。ハルモニが亡くなる三カ月ほど前、つまり「松代慰安所」とほぼ同時期に描いた絵だった。私は、姜ハルモニが死の直前にしようとした話が何なのか知りたくて、絵をじっくりと眺めハルモニの残影を追った。

筆を持つ姜ハルモニの最後の後ろ姿が絵の上に徐々にオーバーラップされ始めた。しばし物思いにふけっていたハルモニがキャンバスの左側に人の身体を大きく描き始める。一目で幼い少女の身体だとわかる。ところが少女の身体は、頭と手足が切り取られ胴体だけが残されている。ハルモニが美術的な意図で胴体だけのトルソーを絵の素材にしたはずがない。おそらく全身で耐え抜いた地獄のような慰安所経験が、日本軍性奴隷の本質をえぐるこのような表現となってあらわれたのではないかと思う。少女の名前は何か、顔はどのような顔なのかは重要ではない。日本軍が必要としたのは、ひたすら少女の身体だったからだ。少女は多い時には一日に三〇~四〇人もの軍人の相手をしなければならなかった。彼らはそんなふうに女性たちをモノのように扱った。自分の効用価値が何なのか凄絶《せいぜつ》に全身で思い知らされた姜ハルモニは、抵抗できなかった当時の心情を絵で表現しようと試みたのだ

と思う。銃剣で武装した彼らから逃げ出す方法がないという無力感にとらわれていた気持ちを、頭や手足のないトルソーの絵で表現したのだと思う。

絵を見ていたハルモニは、筆に赤い絵の具をつけて少女の下半身を触る赤い手を描く。ハルモニが眉間にしわを寄せる。絵に描かれた徳景の身体は痩せていて発育もじゅうぶんではない。16歳だが、まだ生理も始まっていない身体だ。性的に男性を相手にするということがどういうことなのかまったくわからなかった徳景に、性暴力は荒々しい手の圧力で開始された。彼らの手は、徳景の意志を制圧する最初の攻撃だった。もがく身体を制圧する暴悪な手の力によって少女は裸にされた。赤い手たちは徳景の魂を凄惨に、しつこくたたきのめした。数多くの赤い手が胴体だけ残された少女の身体を触る。思えば姜ハルモニは以前にも日本軍の暴圧を手を描くことで表現したことがあった。最初の絵は、ハルモニがまだ日本軍を描くことを難しがっていた頃に心象表現であらわれた。ハルモニは「寂しくて」という作品で日本の軍服に似た黄土色の大きな手を初めて描いた。二つ目は、初めてレイプされた丘を描いた「奪われた純情」で、自身を犯した日本軍人コバヤシ・タテオの手だ。そしてタイトルのない、この最後の赤い手の絵まで、ハルモニは自身の身体を触る手によって、自身の霊魂が無残に打ちのめされたことをずっと語っていたのだ。

姜ハルモニが絵の下段に、膝を立てて座る裸体の小さな女の子を描く。ハルモニは、座っている姿を描くのが難しいのか、絵と同じポーズを取って何度か修正する。うなだれた女の子は苦痛にとらわれている様子だ。女の子は石でつくられた彫刻の中に閉ざされて、生涯動くことができないように見える。ハルモニの筆が少女の顔に近づく。しかし、どんな表情でも少女の惨憺たる気持ちをあらわすことはできないことを知っている。結局、ハルモニの筆は少女の顔の表情を描き入れることができない。ハルモニは黒い絵の具のついた筆をきれいに洗い落とす。それからパレットにだいだい色や赤、茶色の絵の具を搾り出す。赤っぽいオレンジ色に染まった大きな筆が白いキャンバスの上を躍り始める。いくつもの線がキャンバスの上をつむじ風のように吹き荒れたかと思うと、ハルモニは小さな細い筆に代えて鮮やかな赤の絵の具をつける。巫堂《ムーダン》の刀舞が絶頂に達した瞬間のように、ハルモニはトルソーとうなだれる少女の身体に鋭い線を激しく引く。刀に切られたような鮮やかな赤い血がにじみ出る。時がたって褐色になった血痕の上に苦痛の痕跡が再び鮮明に広がる。

最初にこの絵を見て、美しい夕日を思い浮かべたのは私の誤解だった。姜ハルモニは、日本軍性奴隷制被害者の苦痛は息が止まる瞬間まで一瞬も忘れることができないのだということを絵で表現していた。

儀式が終わった後のように鎮まったハルモニは最後に三つの丸をくっきりと描いた。黒と紫で少女の両側と絵の右上部に三角形を描くように順に丸を描いて行く。下の方の丸二つの線が細胞分裂を起こすかのように少しずつ混ざり、右上から鳥の頭に変わっていく。頭だけが浮いている鳥は、少女の身体をまさぐる赤い手をにらみつける。鳥は、燃えたぎる怒りで目をギラつかせ、少女を痛めつけようとする赤い手を断固としてにらみつけている。絵を描き終えた姜ハルモニが苦しい息を吐き出す。

「姉さん、あそこを見て。青い空に鳥が飛んでいくのをちょっと見て」

恵化洞時代、美術の授業中に姜ハルモニが高くて青い秋の空を見ながら叫んだ。金順徳ハルモニと私は姜ハルモニの手が指す方向を眺めた。

「どこ？　ああら、先頭にいるのが大将だね、きっと。よく飛ぶねー、ホーイ」

瓦屋根の向こうに鳥たちが悠々と飛んでいく姿を見て、ハルモニたちが交わした対話だ。笑顔で空を見上げるハルモニの目がキラキラしていた。ハルモニは鳥に憧れていた。絵を描き始めてからなのか、それ以前からなのかはわからないが、しかし一つだけ確かなことがあった。姜ハルモニが絵を描き始めてから自身の内面をのぞき見て、鳥が好きだということを認識したことだ。自由に空を羽ばたく鳥は、いつもハルモニの心を揺さぶった。おそらく強制的に自由を奪われた、その時からだったのではないだろうか。断ち切るこ

とのできない軛《くびき》からの脱出を夢見たハルモニにとって鳥は慰めとなり、夢となったのだろうと思う。

鳥を夢見た姜ハルモニの気持ちは、白い紙の上で生まれ変わった。ハルモニは小さな鳥になりもし、大きな鳥になりもした。一羽になることもあれば、数羽になることもあった。本格的な鳥の絵は、心象表現をした「寂しくて」の小さな鳥から始まった。小さな鳥は、大きな日本軍人

の手の甲にとまって、その手をつついた。加害者に対する気持ちを初めて絵に表現したハルモニは、彼らの過ちに対する怨みを用心深く取り出したのだ。しかし、すぐに解決すると思われた日本軍性奴隷制問題がどんどんこじれて2次被害に遭うたびに、姜ハルモニの絵の中の鳥たちは、より力強い鳥となって日本軍を攻撃した。絵画「鳥になって」では船に乗った日本軍人たちが怒りに満ちた鳥たちの攻撃を受ける。また、ハルモニは日章旗の赤い丸に×印をつけたり矢印を引いたりして、彼らがおこなった人権蹂躙が過ちであることを表現し、気持ちを慰めた。

しかし日本政府は毎週水曜日に日本大使館前で彼らの過ちを糾弾するハルモニたちに公式に謝罪する考えはまったくなかった。日本政府が「アジア女性基金」という民間のお金でハルモニたちの最後のプライドを踏みにじった時、姜ハルモニの怒りは小さな鳥たちが攻撃したり日章旗に×印をつけたりするささやかな表現から抜け出して、アジア太平洋戦争の最高責任者である天皇ヒロヒトを召喚した絵画「責任者を処罰せよ」となって爆発した。そしてハルモニの分身である白いハトは、歴史的な審判の現場を見守る正義と平和の目撃者になった。ハルモニたちが日本政府の公式謝罪と、それに伴う法的賠償を受け取らないことには根本的に解決できない問題だった。ところが心からの反省はおろか、生存しているハルモニたちの死を待って粘る日本政府の態度に200歳まで生きて日本が心改める姿を見届けてみせると言った姜ハルモニは、最後の瞬間まで怒りの鳥になって両目をしっかりと見開いて彼らの蛮行を見守った。

1997年2月、ハルモニが絵の中に描いた鳥たちが、ハルモニが入院していた病院の空を飛び交っていた。一筋の光が空から降りてきて、飛んでいた鳥たちの羽ばたきが光をパタパタとあおいだ。光は四方に飛び散り、まばゆい光の中から一羽の鳥が舞い出て、赤い円の中に長い間閉じ込められていた少女に近づいた。聖なる鳥が少女を導き出す。もうこの地獄は終わったと、早く行こうと。少女は自身が長い間憧れていた透明な天使の翼を持つ白い鳥になった。そして、他の鳥たちとともに青い空へと羽ばたいて行った。

エピローグ　遅咲きの花

日本軍「慰安婦」というスティグマは、ハルモニたち個人にとっては恥ずかしい過去だった。しかし、おびえや怖れをはねのけて、自身が性奴隷被害者であることを明らかにした時、ハルモニたちは暗黒の時間から抜け出して歴史の表面に躍り出た。そして、生涯かかえてきた孤独から抜け出し、同じ苦しみを味わった友や力になってくれる人々に出会うことができた。美術の先生である私も、その中の一人だった。ハルモニたちは、そのような人々と共に、過去の過ちを認めない日本政府を相手に闘いながら成長し続けた。

ハルモニたちと会う機会が訪れた時、幸い私には絵という道具があった。私はその道具をハルモニたちに差し出し、ハルモニたちは決してたやすくはなかったが諦めることなく、それを自身の経験と意志を伝える道具にしていった。今思うと不思議なことだ。初めから壮大な目的があったら途中で投げ出してしまったかもしれない。私は、一生を苦痛の中に生きてきたハルモニたちが少しでも楽しめることを見つけることが大事だと思った。ハルモニたちは絵を通して少しずつ自信を手にし、それがハルモニたちの人生にも少しずつ影響を及ぼした。絵を描くことで一番変わったのは、ハルモニたちの人生に対する姿勢だった。夢中になれるものが一つあれば頑張って生きていけるように、ハルモニたちにとって絵は夢中になれる趣味であり遊びでもあった。そして幸運なことに、授業が進むにつれて絵はハルモニたちの自慢のたねになっていった。

美術の授業で最も大変だったのは、ハルモニたちの傷を絵に引き出すことだった。私がどうすればいいのかわからなくて悩んでいた時、ハルモニたちはお互いに影響を与え合いながら授業を進めた。最初の心象表現では李容洙ハルモニがリードし、本格的に自分の話を引き出す段階では姜徳景ハルモニがムードメーカーになった。その後を継いで金順徳ハルモニが頑張り、その後、李容女ハルモニまで合流した。ハルモニたちはそんなふうに善意のライバルになり、少しずつ変わっていった。確かに初めは大変だったが、つらい時代の話を絵に引き出した後は、ハルモニたちの内奥に閉ざされていた想像を絶する話があふれ出てきた。そのエネルギーがハルモニたちを昼も、夜も、絵に向かわせた。

それは、本当に美しくすてきなことだった。ひどい性暴力を受けた後の鬱屈した絶望の時間を絵に注ぎ込み、自らを癒やし成長していくハルモニたちの姿は、人生の意味と本質を求めてさまよっていた青春真っただ中の私にじゅうぶんな回答と褒賞以上の意味を与えてくれた。私は、私にできる最もたやすいことをハルモニたちに分け、ハルモニたちは人生で最後の挑戦をして結果を残した。それは、世代を超える立派な共同作業であり、美術の先生である私を毎瞬間、成長させてくれた。私は、ハルモニたちとの美術の時間を通して美術治療を勉強することになっただけでなく、その他の無形のものをたくさん学んだ。ハルモニたちが長い間必死に目を背けてきたつらい傷に向き合って勇気を奮う姿を見守りながら、人間の意志と希望と目標が人生をどれほど美しく変えられるかを両目でしっかりと確認することができた。

ハルモニたちは、自分自身の話が盛り込まれた絵を描きながら真の自己実現の機会を持った。ハルモニたちの絵は、個人的な達成を超えて、多くの社会的関心と認定を受けた。国内は言うまでもなく海外でも展開された展示会の日程を全部こなすのは、ハルモニたちにとってはなかなか大変だった。私は、ハルモニたちに絵の指導をすると同時に展示会の案内文やハガキの製作、絵の配送、メディア報道などの仕事にも時間を割かなければならなかった。私個人の作業と展示計画が後回しになり、ハルモニたちを手伝うことが主になってしまったが、寝る間《ま》を惜しんでたくさんの仕事をした。ハルモニたちが画家として成長することは、私自身が心から願っていたことだったので、楽しくそれらの仕事ができた。ところが徐々に一人ではやりきれないことが生まれて、それまでハルモニと共に過ごしてきた若い女性五人が集まってハルモニたちの絵の会をつくったりもした。その会の名前は「『咲ききれなかった花』挺身隊ハルモニ絵の会」とした。「咲ききれなかった花」は、金順徳ハルモニの代表作のタイトルだ。会という公式な枠組みを設ければ、ハルモニたちが絵の作業にもう少し集中できるだろうという意図だった。またこの会が、ハルモニたちが本格的に画家活動をする礎石になることを願った。

しかし、ナヌムの家が京畿道《キョンギド》広州《クァンジュ》に引っ越す準備をする過程で、ハルモニたちの反対にあって軋轢《あつれき》が生まれ、絵を描くこと以外の雑音のせいで私も疲れていった。決定的には姜徳景ハルモニが肺がんで闘病生活に入ったことで、絵の会を続けていく意志がくじかれてしまった。その上、姜ハルモニが亡くなった後、絵の所有権の問題まで発生した。姜ハルモニは亡くなる際に絵をナヌムの家の院長と私に任せたが、すぐに姜ハルモニの弟が絵の所有権を主張した。世に知られる前の、ハルモニたちと純粋に絵だけを描いていた時間が懐かしかった。結局、私は以前の生活に戻った。その後、金順徳ハルモニに時々お会いする機会があったが、2002年に私が地方に引っ越した後はまったく会うことができなかった。そして2004年に報道を通して金ハルモニが亡くなったことを知った。亡くなる前に金ハルモニが美術の先生にとても会いたがっていたということを後から知って、とても心が痛かった。

1997年に69歳でこの世を去った姜徳景ハルモニに次いで、2004年に金順徳ハルモニが84歳で、2013年に李容女ハルモニが88歳で亡くなった。ハルモニたちの訃報に接するたびに悲しくやりきれない思いだった。私はすでにハルモニたちと切り離すことのできない絆で結ばれていた。日本軍性奴隷制問題に関するニュースはすべて耳に入ってきた。物理的には離れていたが、ハルモニたちの健康を祈り、この問題が一日も早く解決することを願っていた。ハルモニたちとの美術の時間は、20代の最も純粋な情熱を注ぎ込んだ宝石のような経験として私の心の奥底に深く刻み込まれた。2015年12月27日までは、そうだった。

2015年12月28日、朴槿恵政府が「慰安婦」問題に関する「日韓合意」を発表した。私は、テレビ画面に映る李容洙ハルモニをはじめとする日本軍性奴隷制被害者ハルモニたちの怒りを見た。日本政府は依然として公式に責任を負おうとせず、お金で問題を解決しようとしていた。金学順ハルモニが初めて証言した時と同じだった。法的な責任を回避し、問題をうやむやにしようとする態度から一歩も前進していなかった。亡くなったハルモニたちが息を吹き返してもおかしくない出来事だった。姜徳景ハルモニが「責任者を処罰せよ」を描く動機となったことが再び繰り返されていた。怒りに震える姜徳景ハルモニの表情が思い浮かんだ。そして、ハルモニたちと過ごしたすべての時間がよみがえった。

私は、ハルモニたちが心の奥深いところに傷と恨《ハン》を抱えたまま命尽きる姿を間近で見た者として、日本軍がおこなった集団的な性暴力の事実を徹底的に否定する日本政府の破廉恥な態度に、屈辱を感じた。そして、ハルモニたちが傷と絶望を克服するためにおこなったすべての努力と、生の最後の瞬間まで絵を描いて伝えようとしたことを記録することが、美術の先生として私がなすべき最後の仕事だと思った。

植民地朝鮮に女性として生まれ、若い頃に戦争の最前線で日本軍のひどい性暴力を受け、故国で再び戦禍をくぐり抜けて生き残ったが、世の中から完璧に忘れられていた女性たち。孤独の極地の最底辺で生き抜いてきたその女性たちが、齢《よわい》70歳にして自身の傷を絵画で表現し、歴史上に燦然《さんぜん》と咲き誇ったのだ。でも、それだけではまだ足りない。私は、ハルモニたちが自身の苦しみと闘いながら傷を絵画で表現する生みの苦しみの現場にいた人間として、白い画用紙に吐き出されたハルモニたちの生々しい声を伝えたい。クネクネとした線で日本軍人を描く時の揺れる筆先や、怒りに赤く染まった筆を動かす時の荒い息づかい、白い鳥を描きながら浮かべた穏やかな笑み、夜を徹して完成させた絵の前で満足げに目を輝かせた表情まで、あまりにも切実だったすべての瞬間を見せたい。

そうすることによって、日本軍性奴隷制問題が歴史本の1ページとして終止符を打てる過去ではなく、まだ終わっていない、解決すべき私たちの問題であることを知ってほしいと思う。ハルモニたちの願いが忘れられないように、私たちの世代がその願いを受け継いで誤った歴史を正すことができるように、ハルモニたちの絵の物語を伝えることで小さな力となれることを願う。

日本軍性奴隷制問題は、戦争と暴力が一人の人間の生をどれほど徹底的に壊すのか、どれほど大きな絶望を与えるのかをよく示している。また、日韓間の歴史問題を超えて、女性の人権問題として今を生きる私たちに大きな示唆を与えている。ハルモニたちの苦痛を記憶し連帯することで、蔓延する日常の性暴力について深く考える機会になることを願う。

絵を描きながら浮かべたハルモニたちの、素朴な笑みが思い出される。ハルモニたちは小さな筆1本で過去を振り返って傷ついた心をなぐさめ、ついに自身の人生と向き合うことができた。絶望の中でも自身の人生をていねいに紡ごうとしたハルモニたちの姿が、傷を抱えて生きている人々に勇気を与えられることを願う。「咲きされなかった花」ではなく、「少し遅咲きの花」であったにすぎないハルモニたちの人生と絵画が、多くの人々にとって温かいなぐさめになることを願う。

(1) ナヌムの家

1992年、仏教曹渓宗が日本軍性奴隷制被害者たちのためにつくった生活共同体。これによって初めて被害者ハルモニたちがソウル特別市麻浦区西橋洞《マポグソギョドン》で一緒に暮らすようになった。その後、明倫洞《ミョンリュンドン》、恵化洞《ヘファドン》を経て、現在は京畿道広州郡退村面《キョンギドクァンジュグンテチョンミョン》にある。

(2) 金学順〔1924年〜1997年〕

早くに父を亡くし、17歳で養父と共に中国にお金を稼ぎに出かけたところを日本軍に捕まり、性奴隷にされた。1990年6月、日本政府が日本軍は慰安所に関与していないと発言したことに激怒し、1991年に記者会見を開いて初めて、日本軍の性奴隷制度の実態を証言した。その後、毎週、駐韓日本大使館前で開かれる水曜デモに参加し、日本の国会前でもデモをおこなうなど、日本政府の謝罪と賠償を求め、日本軍性奴隷制問題に国際的な関心を呼び起こすことに余生を捧げた。

(3) 挺対協

正式名称は「韓国挺身隊問題対策協議会」で、1990年11月、挺身隊〔日本軍性奴隷〕問題を解決するために発足した。1991年9月、挺身隊申告電話を開設して生存者の名乗り出をうながした。日本軍性奴隷制被害者たちのための特別法の制定や真相究明などを韓国政府に求め、日本政府と国会に対して真相調査、謝罪、賠償を要求しており、被害者の生活保護活動にも力を尽くしている。

＊訳者注：現在は「日本軍性奴隷制問題解決のための正義記憶連帯」として組織を拡大している。

（4）逆さ模写

ベティ・エドワーズが考案した美術教育法。「脳の右側で描く」とも言う。脳のなかで絵を描くことを司る右脳を活性化させて、デッサン能力を高める方法だ。

（5）アクション・ペインティング

第2次世界大戦後、ニューヨークを中心に米国の画壇を支配した前衛的な絵画運動。瞬間的な行為によって出現した偶然性の効果を新しい美意識に発展させた。キャンバスにじかに絵の具を撒くといった自由で衝動的な表現技法を使用する。ポロック、デ・クーニング、フランシスのようなアクション・ペインティングの画家たちは行為を通した瞬間的な偶然の効果を追求したため、彼らの即興的でスピード感ある表現はシンプルな色彩よりも多彩な色彩によってより効果的に発揮される。完成された作品の美的価値ではなく、作品を制作する行為そのものに価値を置いているといえる。

（6）挺身隊絵画展

韓国国会の挺身隊対策議員の会が1994年11月28日、国会ロテンダホールで開催した美術展示会。チェ・ビョンス、キム・ヨンリム等など10名の画家が日本軍性奴隷をテーマに作品を展示した。

（7）アジア女性基金

正式名称は「女性のためのアジア平和国民基金」。アジア太平洋戦争中に日本によって日本軍の性奴隷にされ被害を被った女性たちに対する補償事業と、現代の女性の名誉と尊厳に関する問題を解決する目的で設立された日本の財団法人で、1995年7月に発足した。しかし、中身を見ると、日本軍性奴隷制問題の法的責任を巧妙に避けつつ、日本国民から募金して日本軍性奴隷制問題を道義的責任に限定するために設立した財団だった。当時の韓国人被害申告者207名中147名がこのような理由でアジア女性基金の見舞金を拒否した。1997年、アジア女性基金は見舞金を受け取った60人の被害者たちにだけ日本の総理のお詫びの手紙を伝達した。

(8) 日本軍「慰安婦」問題アジア連帯会議

韓国挺身隊問題対策協議会が提案して1992年8月に結成された国際的なネットワーク。韓国、朝鮮民主主義人民共和国、中国、台湾、フィリピン、インドネシア、東ティモールなど世界各地の被害者と支援団体、そして日本の支援団体が参加して日本軍性奴隷制問題を解決するための連帯活動を繰り広げている。

「美術の時間」の背景

年	月日	
1988	4	キーセン観光に反対して「韓国教会女性連合会（韓教女連）」が主催した国際セミナー「女性と観光文化」で尹貞玉（ユン・ジョンオク）さんが「慰安婦」問題で報告。韓教女連の中に「挺身隊研究委員会」設置。「慰安婦」運動の始まり。
1990	11・16	「韓国挺身隊問題対策協議会（挺対協）」が37の女性団体の協議体として発足。「慰安婦」運動の本格化。
1991	7・22	金学順さんが挺対協を訪ねて、被害申告。
	8・14	金学順さん記者会見。韓国で初めて「慰安婦」被害者が公に証言。
	9・18	挺対協、挺身隊申告電話を開設。
	12・6	金学順さん、東京地裁に提訴（韓国太平洋戦争犠牲者遺族会訴訟原告の一員として）。これを機に、挺対協の申告電話への被害者申告急増。
1992	1・8	第1回水曜デモ。駐韓日本大使館前での水曜デモの開始。
	5・2	挺対協、全国の被害者が集まる初めての場を設ける。姜徳景さんが劣悪な住環境について訴え。挺対協の代表者会議で会員団体の仏教人権委員会が被害者の住居づくりを担当、募金運動開始。

年	月日	
1992	10	ソウル市西橋洞にナヌムの家開設。姜徳景、金順徳、朴玉蓮ハルモニが最初の入居者となる。
1993	2	イ・ギョンシンさんがナヌムの家訪問。ハルモニたちとの美術の時間が始まる。
	6・11	「日帝下日本軍慰安婦に対する生活安定支援法」制定。被害者申告受付が政府に移管され、認定された被害者には一時金と月々の支援金給付開始
		ナヌムの家、ソウル市明倫洞を経てソウル恵化洞に移動
1994	2・7	姜徳景ハルモニら、責任者の処罰を求めて東京地検に告訴告発状を提出するが不受理。
1995	5	日本で初めてハルモニたちの絵画展「歴史に隠された日本軍慰安婦」、在日本韓国ＹＭＣＡ（東京）で開催。その後、6月までに大阪、名古屋、三重県で開催。
	7・19	「女性のためのアジア平和国民基金」発足。
	12	ナヌムの家、現在の京畿道退村面に移動。
1997	2・2	姜徳景さん死去
2004	6・30	金順徳さん死去
2013	8	李容女さん死去

翻訳をしながらこれほど切なく胸しめつけられ、また心躍らせた経験は他にはなかった。自らの傷をなかなか吐き出せない姜徳景さんの姿、幼い頃に引き戻されて悲鳴をあげる金順徳さんの姿に心ゆさぶられ、彼女たちが絵という表現手段を獲得して生き生きと輝いて行く姿にぐんぐん惹きつけられていった。

本書の登場人物の中でもとりわけ中心をなす姜徳景さん、金順徳さんは私にとっても忘れられない方たちだ。1992年4月、初めて訪れた韓国で、まだ被害申告をしたばかりで具体的な証言聴取には一度も臨んだことのなかった金順徳さんの話を聴いた。私にとっては、個別にじっくりと「慰安婦」被害者の証言を聴いた最初の経験だった。その後、再び訪れた韓国で、まだソウルにあったナヌムの家を訪ね、ちょうど絵を描いていた姜徳景さんから、その絵について説明を聞いたことも貴重な思い出だ。姜徳景さんの思慮深さ、静かな中に凛として揺るがない芯の強さが、初期の運動において他の被害者や支援者たちを牽引する動力だったことは、当時を知る人ならば誰もが認めるだろう。本書を通して彼女たちに再び出会い直せたことは、大きな喜びだった。

そしてもう一つ、とてもうれしい出会いがあった。本書の著者、イ・ギョンシンさんとの出会いである。美大を卒業したばかりのイ・ギョンシンさんが、圧倒的な存在感を放つナヌムの家のハルモニたちの前で何も言えずに退散する冒頭から、私はこの人に惹かれた。彼女が、金学順さんのまなざしを忘れられなかったこと、実際に目の前に現れたハルモニたちの前で自らの非力を思い知らされながらもハルモニたちのもとに行かずにいられなかったこと、ハルモニたちの心に残る傷が見えてきた時から何かできないかと暗中模索を繰り返したことなど、彼女がとる行動は私に既視感をおぼえさせた。そう。この三〇年、私はイ・ギョンシンさんのような女性を周りにたくさん見てきたのだ。そして、私自身もそうだった。

年若い頃に日本軍の「慰安婦」にされ、その後の人生をそのことに縛られてきた女性たちの生を目の当たりにした時、驚き、たじろぎ、私は何度も逃げ出したいと思った。しかし、どうしても目を背けることができず、どうしたら少しでも楽になってもらえるのかと考え続けるようになった。本書を訳しながら、在日朝鮮人「慰安婦」被害者、宋神道《ソンシンド》さんと過ごした時間がよみがえり、当時の私自身の思いを、イ・ギョンシンさんの思いに重ねて振り返った。

日本軍「慰安婦」問題解決運動の三〇年は、日本軍の性暴力に遭った女性たち自身と、彼女たちの生から目を背けることができなかった人々が共に紡いできた30年だ。人と人との出会いがもたらす摩擦があり、変化があり、実りがあった。しかし今、それらが顧みられることなく、政治問題、日韓問題、歴史問題としてのみ語られている気がしてならない。また、被害者に寄り添った運動が、被害者を利用し別の目的を果たそうとするものであるかのように歪曲されることすら珍しくなくなった。本書が、このような風潮に一石を投じ、傷ついた「人」と関わった「人」の実像を、少しでも伝えてくれるものになると信じたい。

絵筆という武器を持っていたイ・ギョンシさんが、彼女を受け入れたハルモニたちとの間で生んだ化学反応は、期せずして大きな果実を生みだし、世に残されることになった。方法こそちがえども、フィリピンにも、台湾にも、その他被害者のいる国々にたくさんのイ・ギョンシがおり、日本国内にも世界各地の被害者たちに寄り添った大勢のイ・ギョンシンがいた。日本軍「慰安婦」問題が決して日韓問題ではないゆえんでもある。本書の読者が、それら多くのイ・ギョンシン、そして姜徳景、金順徳へと想像の翼を広げてくれることを願う。

本が完成した今、私は一人の友のことを思っている。彼女は、姜徳景さんの最期を看取り、その「遺志を継ぐ」という約束を果たすべく、30年をひたすら日本軍「慰安婦」問題解決のために邁進してきた。私は、彼女が30年の間にどれほど傷つき、疲弊し、堪えてきたかを知っている。その友、尹美香《ユンミヒャン》の協力なくして本書の出版はありえなかったことを付言しておきたい。

最後に、本書を翻訳出版するために出版社まで立ち上げて今日までの道のりを共に歩んでくれた北原みのりさん、この本の価値に共感しながら細やかな編集をしてくれた小田明美さん、クラウドファンディングを担当してくれた石田凌太さんと高廷林《コジョンリム》さんをはじめとする希望のたね基金の仲間たち、翻訳出版のためのクラウドファンディングに参加して応援してくださった方々、ハルモニたちの絵の掲載を快諾してくださったナヌムの家・日本軍「慰安婦」歴史館に、心から感謝します。

2021年5月

梁澄子《ヤンチンジャ》

『咲ききれなかった花』の出版背景にあるもの

本書は、2018年に韓国で出版されました。作者のイ・ギョンシンさんは1993年、20代で「慰安婦」被害女性たちと出会います。壮絶な性被害を味わった高齢の女性たちに、いったい何を語りかければよいのか、いったい自分に何ができるのか。戸惑いながらも出した答えが、美術の時間でした。女性たちと共にキャンバスに向き合うその時間は、期せずして、女性たちのトラウマ治癒の時間になっていきます。

イ・ギョンシンさんが選ぶ言葉一つひとつが、キャンバスに向かうハルモニたちの横顔を照らします。ハルモニたちが動かす筆の音が聞こえます。日本政府を訴え、毎週水曜にソウルの日本大使館前に立ち、国際社会に叫ぶように訴え続けた女性たちの闘いの背後にあった日常の声が聞こえてくるようです。

性暴力被害者にとって、「その後の人生」がどのようなものなのか、その苦しみがどのようなものなのか、長い間、世界は見ようとしませんでした。たやすくは言葉にできない激痛の中でもがき続ける性暴力被害者に向けて、「忘れなさい」というのが慰みであり、「忘れてあげましょう」というのが優しさだとされていた時代は決して遠い昔のことではありません。そのような社会で、戦時性暴力という想像を絶する被害を生き抜いた女性たちの声に寄り添い、自ら葛藤しながら、この痛みの根源にあるものを見つめようとした女性たちがいます。イ・ギョンシンさんも、そのようにして歴史に関わった一人です。

イ・ギョンシンさんは本書を出版するまで、公で語ることはほとんどありませんでした。長い時を経て、それでも今、美術の時間を共に過ごしたハルモニたちのことを記そうとしたのは、イ・ギョンシンさん自身が90年代に見たもの、聞いたものを、次の世代に残さなければという使命感にほかなりません。いまだに被害者が望む形での謝罪を行えていない日本社会に対して、声を聞いた者としてその約束を果たすように、〝あの時間〟をよみがえらせたのです。「慰安婦」の女性たちの声を直接聞くことのできない時代を迎えようとしています。だからこそ、その声を聞いた者たちの責任が真に問われていくことでしょう。それは、戦地のロマンとして日本軍人から語られてきた「慰安婦」が、〝こちら側〟からすれば性暴力だったのだと歴史を塗り替え、性被害がどのような残酷なのかを諦めずに告発し続けた「慰安婦」運動の歴史を記録していくことでもあります。その貴重な声であるイ・ギョンシンさんの『咲ききれなかった花』を日本語で出版できることを、心からうれしく思います。

アジュマブックスは、『咲ききれなかった花』を出版するためにつくった出版社です。それほどに思い入れたのは、私自身が作者のイ・ギョンシンさんと同世代であり、彼女が日本軍性奴隷被害者の女性たちと出会った時の戸惑いや、どのように振る舞うべきか葛藤し、自己嫌悪し、恐れる感覚が痛いほどわかるからです。「同じ女だからわかる」などと到底言えないすさまじい被害、だけれど「女だから私にはわかる」と泣きたくなるような共感に自分自身が振り回されながら、私は女性たちの声に、長い間向き合えませんでした。

それでも、性被害の声を聞くとは、そもそものような体験なのだと、私はイ・ギョンシンさんの言葉を通してようやく理解できました。日本軍性奴隷被害者の声に圧倒され、恐れ葛藤しながらも声に伴走する女性たちによって、「慰安婦」運動は切り拓かれてきました。「慰安婦」運動を牽引した尹美香さん（現国会議員）が、姜徳景さんが死の際で口にした「私たちの声を世界に届けてくれ」という約束を握りしめ続けたように。日本政府を相手に闘い「俺の心は負けてない」と語った宋神道さんに人生まるごと振り回されながらも、一度も歩を止めることのない梁澄子さんのように。声をあげた者、声を聞いた者、その声の革命が「慰安婦」運動なのです。

姜徳景さんたちがナヌムの家で美術の時間を過ごしていたとき、いったい誰が、「慰安婦」運動が今に連なる#MeTooの原点として、世界に類を見ない大きな意識変革運動になることを想像したでしょう。ハルモニたちが、その声が待たれ、社会を導く人権活動家として敬意を払われる存在として記憶される韓国社会が生まれることを、誰が想像できたでしょう。韓国社会どころか、国際世論を巻き起こす力になった女性たちの声。声が変えたものの大きさに私は圧倒されるのです。

一方、日本社会はどうだったのか。そのことを本書は、改めて私たちに突きつけます。91年に金学順さんが声をあげて今年で30年目になります。この30年間、性被害者の声を聞く力を深めてきた韓国社会に比べ、日本社会はずいぶん遠いところにきてしまったようです。「和解のために」「日韓の未来のために」と耳に優しく涼しい顔で語られる「日韓関係」としての「慰安婦」問題に、被害者の痛みの声、その声に葛藤した者たちの顔は見えているでしょうか。

『咲ききれなかった花』を日本語にしようと提案してくださった梁澄子さんに心から感謝です。そしてクラウドファンディングでこの本の誕生を支えてくださった皆様に、心からお礼を申し上げます。最後に。アジュマブックスは中年女性という韓国語です。なんだか美しい響きですよね。そう、そんな思いで。たくさんのアジュマの声が、あなたに届きますように。

2021年5月

北原みのり

巻末付録　ハルモニたちの絵

심술쟁이 우리 선생
意地悪な先生
姜徳景 1993

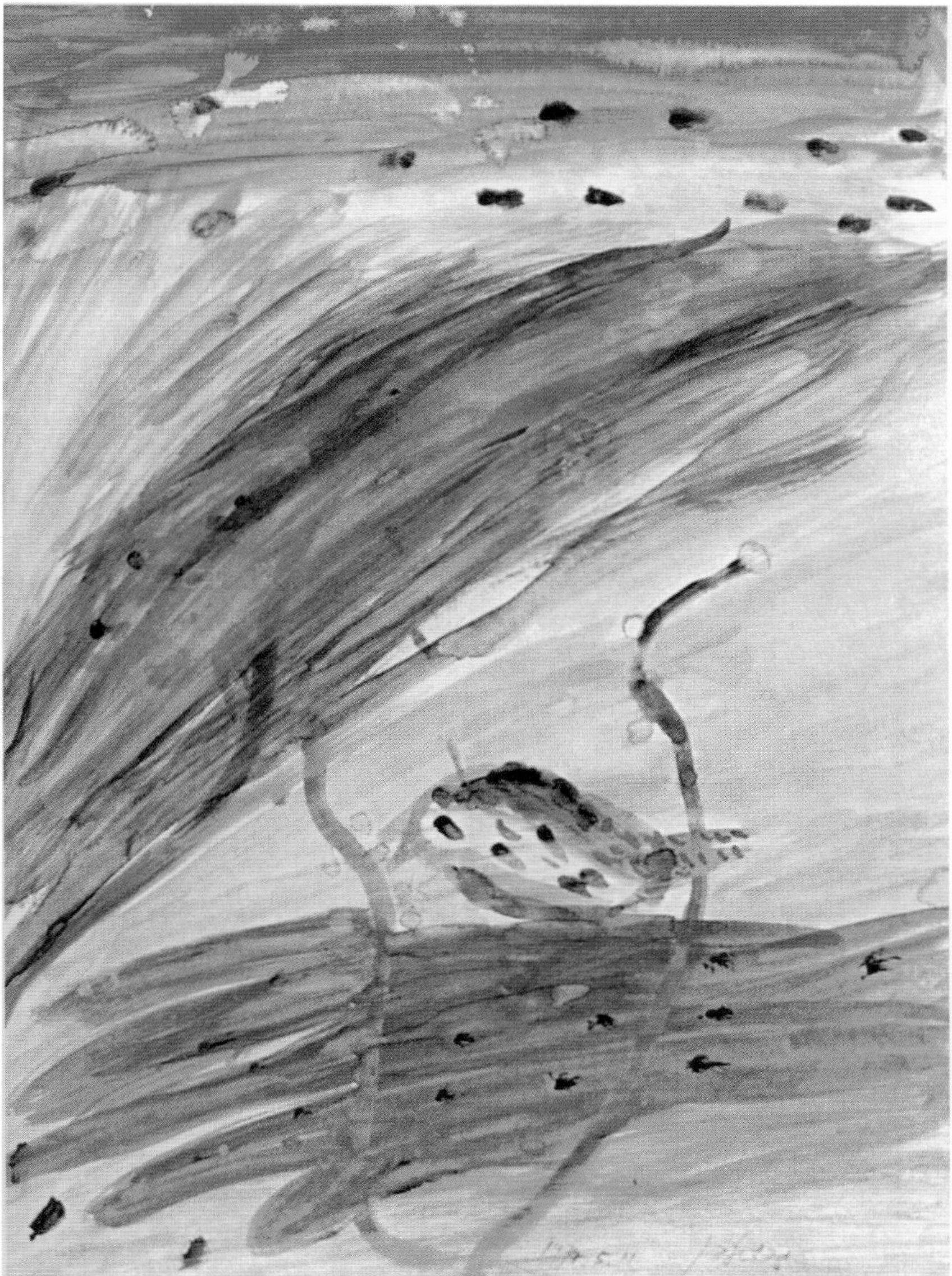

외로워서
寂しくて
姜徳景 1994

빼앗긴 순정
奪われた純情
姜徳景 1995

그때 그곳에서
あの時、あの場所で
金順徳 1995

끌려가는 배 안
連れて行かれる船の中
金順徳 1995

배를 따는 일본군
梨をもぐ日本軍
姜徳景 1995

못다 핀 꽃
咲ききれなかった花
金順徳 1995

라바울 위안소
ラバウル慰安所
姜徳景 1995
ⓒナヌムの家・日本軍「慰安婦」歴史館

끌려가는 조선 처녀
連れて行かれる朝鮮の娘
李容女 1995

목욕하는 처녀들

沐浴する娘たち

李容女 1995

끌려감
連れて行かれる
金順徳 1995
ⓒナヌムの家・日本軍「慰安婦」歴史館

마쓰시로 위안소
松代慰安所
姜徳景 1996

무제
無題
姜徳景 1996

새가 되어
鳥になって
姜徳景 1995

イ・ギョンシン（李京信）

弘益大学絵画科を卒業し1993年から5年間、ナヌムの家に暮らす日本軍性奴隷制被害者ハルモニとの美術の時間をとおして世代を越えた温かい友情を育んだ。内外でハルモニたちの絵の展示会を開き、日本軍性奴隷制問題を知らせることに一助した。ハルモニたちとの美術の時間をきっかけに仁荷大学美術教育大学院で精神疾患患者の美術治療の可能性について学んだ。このような経験は自ずと美術の公共的・社会的順機能に対する関心へとつながり、その後、国内移住女性たちを対象とする美術治療授業をおこなってきた。日本軍性奴隷制問題をテーマにした絵を描き、現在も画家として作品を製作し韓国、日本、ドイツ等で展示会を開いている。

梁澄子（ヤン・チンジャ）

一般社団法人「希望のたね基金」代表理事。通訳・翻訳業。1990年から日本軍「慰安婦」問題に関わる。1993年提訴の在日朝鮮人「慰安婦」被害者宋神道さんの裁判支援をおこない、2007年にドキュメンタリー映画『オレの心は負けてない』製作。現在、日本軍「慰安婦」問題解決全国行動共同代表、戦争と女性の人権博物館日本後援会代表を兼ねる。共著書に『海を渡った朝鮮人海女』（1988年・新宿書房）、『朝鮮人女性が見た慰安婦問題』（1992年・三一書房）、『もっと知りたい慰安婦問題』（1995年・明石書店）、『オレの心は負けてない』（2007年・樹花舎）等。訳書に尹美香著『20年間の水曜日』（2011年・東方出版）。

北原みのり

作家、女性のためのプレジャーグッズショップ「ラブピースクラブ」を運営する（有）アジュマ代表。本書のために2021年アジュマブックススタート。希望のたね基金理事。デジタル性暴力などの相談窓口NPO法人ぱっぷす副理事長。著書に『日本のフェミニズム』（河出書房新社刊）など多数。

ajumabooksはシスターフッドの出版社です。
アジュマは韓国語で中高年女性を示す美しい響きの言葉。たくさんのアジュマ（未来のアジュマも含めて！）の声を届けたいという思いではじめました。猫のマークは放浪の民ホボがサバイブするために残した記号の一つ。意味は「親切な女性が住んでいる家」です。アジュマと猫は最強の組み合わせですよね。柔らかで最強な私たちの読書の時間を深められる物語を紡いでいきます。一緒にシスターフッドの世界、つくっていきましょう。　ajuma books 代表　北原みのり

咲ききれなかった花

ハルモニたちの終わらない美術の授業

2021年6月16日　初版第1刷発行

著者　イ・ギョンシン

訳者　梁《ヤン》 澄子《チンジャ》

解説　北原みのり

発行者　北原みのり

発行　（有）アジュマ
〒113-0033 東京都文京区本郷7-2-2
TEL 03-5840-6455
https://www.ajuma-books.com/

印刷・製本所　モリモト印刷

定価はカバーに表示してあります。

落丁・乱丁本は、送料小社負担にてお取り替えいたします。
小社まで購入書店名とともにご連絡ください。
（古書店で購入したものについてはお取り替えできません）

ajuma books

ISBN978-4-910276-01-4　C0098